東北大学教養教育院叢書
大学と教養 4

# 多様性と異文化理解

東北大学教養教育院＝編

東北大学出版会

Artes Liberales et Universitas

4 Diversity and cross-culture understanding

Institute of Liberal Arts and Sciences Tohoku University

Tohoku University Press, Sendai
ISBN978-4-86163-358-4

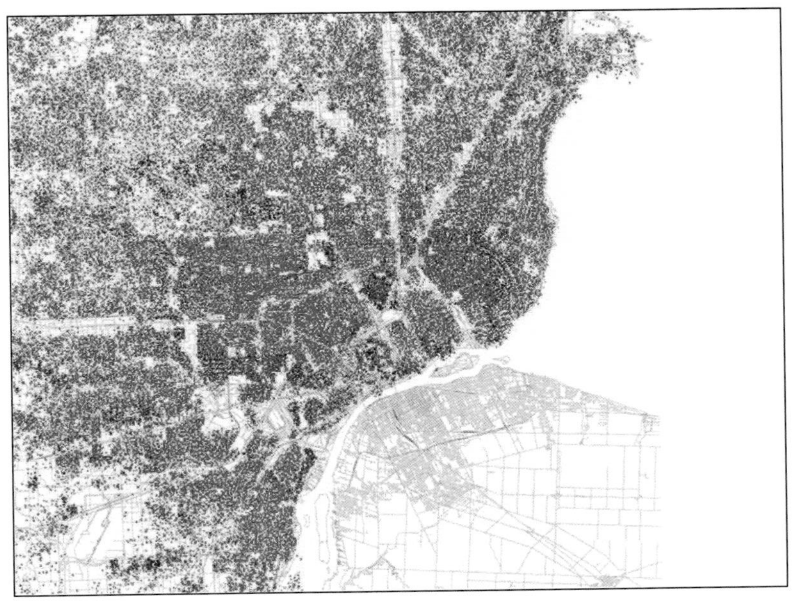

口絵１　アメリカ・デトロイト市の棲み分けパターン
赤：白人　青：アフリカ系アメリカ人　緑：アジア系　黄：ヒスパニック系　灰：その他
https://production-tcf.imgix.net/app/uploads/2019/06/21115913/michigan_redlining.png
（2019 年 11 月 7 日取得）

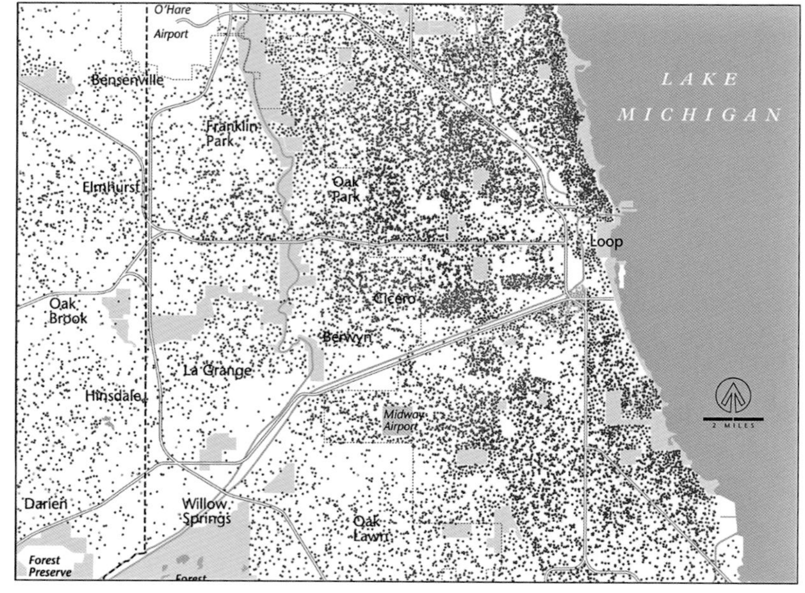


口絵２　アメリカ・シカゴ市の棲み分けパターン

青：白人　緑：アフリカ系アメリカ人　ピンク：ヒスパニック系　黄：アジア系

http://www.encyclopedia.chicagohistory.org/pages/1762.html

（2020 年 8 月 29 日取得）

# はじめに
## 多様性は何を生みだすか

東北大学教養教育院に所属する総長特命教授らの編纂による、「大学と教養」を主題とした教養教育院叢書シリーズも第４巻の刊行を迎えることとなった。第４巻のテーマは「多様性と異文化理解」である。昨今、社会の至るところで耳にする多様性（diversity）という言葉について改めて考えることを目的に、2019年秋に開催された東北大学総長特命教授合同講義「多様性と現代」の内容を核として編纂されたものである。この合同講義では、進化生物学・生態学の視点から、あるいは行動科学や哲学の立場から、多様性に関する論考が述べられた。グローバル化、ボーダーレス化が急速に進む現代にあって、多様性のもつ意味を皆で考える良い機会となった。見所は後半のパネル・ディスカッションにあって、会場の学生諸君と講演者、総長特命教授との議論の中身は、それこそ色濃く、個性あふれる多彩なものであった。

さて、「大学と教養」シリーズの中で多様性を取り上げるのには大きな意味がある。多様な構成員、多様な考え、個性といったdiversityが集まって１つになる「創造の場」が大学（university）であるとすると、私たちがどのようにしてこの場を形づくり、そしてそこからどれだけのものが創造されていくのかを考えていかなければならない。現在の大学では、ダイバーシティ環境の醸成が高らかに謳われ、留学生比率、社会人学生比率、外国人教員比率、女性教員比率など、多角的な指標が設けられているものの、その多様性が生みだす大学ならではの創造の産物に関してはどうだろうか。

私の専門は応用化学、材料科学であって、周期表を眺めながら元素の組み合わせを選び、化学反応の場を操ることによって新物質・新材料を創出する学問である。化学の土台となる周期表には、100を超える元素があって、「族」という類似の性質を示すカテゴリーで分類はできるものの、1つとして同じものはない。化学（chemistry）という言葉を調べてみると、「化合する」という化学反応そのものを意味するものに加え、「相性・調和によって引き出される効果」という解釈がでてくる。英英辞典では、chemistry には“*The complex emotional or psychological interaction between people.*”とあり、人と人との複雑に入り組んだ感情的、心理的な相互作用というような意味である。2つ以上の元素を組み合わせ、単なる足し算でも掛け算でもない、新たな機能を発現させることが化学の本質、醍醐味であって、そこでは構成元素の組み合わせ（化学組成）とその間の相互作用（化学結合）、さらには空間内での位置・配列（分子構造、結晶構造）が鍵となる。そのためにさまざまな化学反応の場を駆使して物質探索を行うのである。

話は逸れたようだが、大学で多様性が意味を持つためには、構成員一人ひとりの異なる個性がケミストリーを生まなければならない。人種やジェンダー、年代など、様々な壁を越えて人々が集まってきても、十人十色のままでは university ではないだろう。化学の世界では、構成要素が同じであっても（元素の組み合わせが同じでも）、温度や圧力といった化学反応の場が異なると、結合状態や原子・分子の配列の異なる物質が生成する。「場」によって相互作用が変わるのである。そうだとすると、大学が創造の場であるためには、多様性をどのように活かしていかなければならないだろうか。それぞれは1つの点である多様な個性が相互作用を引き起こすには、まずは互いに相手を理解することが必要だろう。ここで「異文化理解」という本書のもう1つのテーマが登場する。

異文化理解というと、旅や留学を真っ先に思いつく。もちろん、その目的は、見たい景色や体得したい学問などにあるのだと思うが、そこで体験するさまざまな事象の全てが異文化理解につながるのだろう。「理解する」というのは主体的な行動であって、勉強と同じで「知りたいと思う欲求」がなければ理解は進まない。異文化理解と主体性は切り離せないものと思う。もちろんそこには「寛容さ」が必要だろう。不寛容の時代とも言われる現代にあって、異文化理解の過程で自ずと必要となる「寛容さ」というものも、身につけたいものの１つである。

最近は大学キャンパスの国際化も進み、キャンパスにいながらボーダーレスな環境に身を置くこともできるようになった。各国から集まる留学生と共に学ぶ国際共修型の講義も増えてきている。ウイルス感染症禍で加速化したデジタル・トランスフォーメーション（DX）への流れは、一層のボーダーレス化をもたらすであろう。世界中どこにいても、瞬時に同じ情報に触れ、同じ体験をすることができる。自動翻訳機能も進んだ今では、コミュニケーションツールの障壁も低くなった。だからこそ、ボーダーレス化が多様性を失わせる方向に進まないように、未来に向かって主体性を発揮することが重要と思う。多様性とは何か、多様性に何を求めるのか、自分なりの答えをポケットの中に用意しておけるようにしたい。

本書は、総長特命教授をはじめ東北大学で教育・研究に携わってきた研究者らが、多様性と異文化理解についての論考を展開したものである。学術研究の碩学達は何を語るであろうか。お楽しみいただければ幸いである。個々の個性の間に相互作用を生み、そのケミストリーによって新しい文化を創造することが大学の使命だと改めて認識する機会となることを願う。

東北大学教養教育院
院長　滝澤博胤

## 目　次

## 第四章　教養教育における多様性の問題

——他者への共感が求められる時代の教養教育——

花輪 公雄

# 第二部　異文化理解への眼差し

## 第五章　異文化の体験 “coffee or tea?”

山谷　知行



## 第六章　学生には旅をさせよ

――プエルトリコおよびスペイン語との関わりを振り返って――

志柿　光浩



## 第七章　「臨床宗教師」の展開にみる異文化理解

鈴木　岩弓

# 第一部

# 多様性と現代

# 第一章　進化的視点からみる人間の「多様性の意味と尊重」

河田　雅圭

## はじめに

人間は、様々な性質に関して、個人の間で異なっている。たとえば、人間の顔は、一卵性双生児でないかぎり、顔自体がその人のIDとして利用できるくらい一人一人異なっている。また、性格やものの考え方、得意分野の違い、病気のかかりやすさや寿命の違いなど、様々な性質が異なっている。このような人間の性質の多様性は、同じ地域や場所に住む人の間にも違いもみられるし、地方、国、地域の間でもみられる。

人間のもつ多様性は、社会で生活する上で、異なる才能をもった人が協力することで困難を乗り越えたり、様々な異なる文化的な産物を楽しむことが可能になったりするようにポジティブな側面があると同時に、自分と異なる性質をもつ人を区別し、差別するようなネガティブな面も存在する。このような人間の多様性の社会的価値や問題点は、社会学、倫理学や哲学の文脈で議論されることが多い。しかし、人間の様々な性質の違いを作り出す主要な原因の一つが、生物学的違いである。その大きな違いを作り出している要因の一つが遺伝的な違いであり、人間が過去から現在まで進化してきた結果である。また、人間が他人をどう認識し、どのような感情をいだくのかといった、人間の情動や認知機構も進化の結果として変化している。そのため、人間の「進化」を考慮せずに、多様性の本質を理解することができない。

2003年に、一人の人間の全ゲノム配列（人間がもつ全てのDNA配列)、が明らかになって以降、ヨーロッパを中心に、日本を含めたアジアなど数十万人か数百万人規模でのゲノム配列が読まれ、DNA配列とともに様々な人の性質（病気や習慣、性格など）が、データベースに蓄積されている（ゲノムについては1.1を参照）。また、現代人のゲノムデータだけでなく、数万年前に生息していた古代人の骨からもDNA配列を読むことが可能になり、ネアンデルタール人や縄文人など様々な古代人のゲノム配列のデータも蓄積されている。現在、ヒトの進化の過程や要因を、大量のゲノムデータを用いて実証することが可能になり、ヒトの様々な特性が明らかになりつつある。また、人間の情動や行動に関わる脳内や神経伝達のメカニズムの解明が進んでおり、人間の感情や行動の進化を議論することが可能になってきた。

本稿では、まず進化についての基本的な考え方を紹介した上で、現在の進化学や脳神経科学の進展をもとに、人間の多様性はどのように生じ、維持されているのか、また、人間は多様性をどのように認識し、区別あるいは差別するように進化したのか、という点を考察したい。また、進化的な考察を踏まえて、近年、特に叫ばれるようになった「多様性の尊重」ということを進化的な観点からみたときの問題点について触れてみたい。

## 第一節　人間の多様性と進化

### 1.1　進化の条件となる遺伝的多様性

進化とは何かを尋ねると、多くの人は「生物が周りの環境に適応して変化すること」と答えることが多い。しかし、これは進化現象の一部にすぎない。進化とは「世代を超えて生じる生物の性質の変化」である。次世代に伝えられない「生物が生まれてから死ぬまでに変化した性質」は進化ではない。多くの場合、生物のもつゲノムが変化し、その変化が集団中に頻度を変えることで進化が生じる。また、環境に適応するような「適応進化」ばかりではなく、生存や繁殖に関係のない性質（中立な性質）が進化する「中立進化」や、生存率を下げるなど病気の遺伝子が増加するような「有害進化」も進化である。

進化が起こるためには、生物個体の間で遺伝的な違い、つまり遺伝的多様性がなければならない。進化のプロセスについて説明する前に、進化に必要な、生物個体の間でみられる遺伝的な違い（変異）について具体例を挙げてみていこう。

様々な性質の個人間の違いは、遺伝子による違いと環境による違いによって生じる。人間には、約30億のDNAの塩基配列からなるゲノムを持っている。ゲノムとは一つの生物を構成するDNAの塩基配列の全体のことで、人間の場合、父親と母親からそれぞれ受け継いだ1セットのゲノムをもっている。この塩基配列の一部は、タンパク質をつくる約2万の遺伝子となる配列である。このゲノム塩基配列の違いが、個人個人によって異なっている。たとえば、ヒトの111803962番目の塩基配列は、G（グアニン）の場合とA（アデニン）の場合がある。したがって、1人の人はGG,GA,AAの遺伝子型どれかを持つことになる。このようにゲノムの1つの塩基に違い（変異）がみられることを一塩基多型（SNP）という。この11803962番目の違いは、アセトアルデヒド分解酵素を作る遺伝子(ALDH2）の中にあり、AA型の人は、この酵素が働かない。お酒を飲むと、アルコールは体内でアセトアルデヒドに分解される。アセトアルデヒドは有害で癌の原因になったりするが、アセトアルデヒド分解酵素によって酢酸に分解される。AA型の遺伝子をもっている人は、アセトアルデヒドを分解できないので、お酒が飲めない。AG型の人は分解する活性能力がGG型の人の6％しかなく、お酒を飲むと顔が赤くなる(5)。

SNPのような変異はゲノム中にどの程度あるだろうか。たとえば東アジアの500人程度でみてみると約350万の塩基にSNP変異が見つかる(6)。これは全ゲノム配列の0.1%を占める。1塩基の違いだけでなく、数塩基から数千の塩基が挿入されていたり、欠失していたりする違い（indel変異)、ゲノムによって遺伝子の数が違う場合など、様々な形の変異が存在している。これらの個人間のゲノム中の変異が、個人間の遺伝的違いを創り出している。人間の中で見られる0.1%のゲノム配列の違いは、個人間の様々な性質の違いの原因となるのに充分である。なお、チンパンジーの遺伝的変異の程度は、人間よりもずっと大きいことが知られている(7)。

人間の身長の個体差について考えてみよう。ヒトの身長の差がどの程度遺伝子の違いによるものかをみるとき、遺伝率という指標がある。親の身長と子どもの身長との相関が高くなるほど遺伝率は高くなる。遺伝率を単純化していうと、身長の違いにどの程度遺伝的な違いが影響しているかの推定値である。身長の遺伝率は高く80%と言われている[(8)]。現在、多くの人のゲノム配列とその人のもつ様々な特徴を解析して、人の性質の違いに関わるゲノム上の配列の違いを検出するゲノム関連解析（GWAS）が実施されている。数十万人のヨーロッパ人の身長とゲノム配列を用いたGWASでは、身長の違いに影響する697箇所のSNPが検出された[(8)]。これらSNPにおいて、一つ一つの塩基の違いは、わずかな身長の違いにしか影響しない。さらに、これらの研究では検出することの出来ない、ほんのわずかにしか身長に影響していないSNPなどの変異があると考えられている。

食べ物、運動、生活様式などの個人が育った環境の違いによっても身長の差が生じる。身長の遺伝率から計算すると、環境の違いによる影響は約20%であるといえる。日本人の身長が明治以降高くなっていることは知られている。これは食べ物などの環境の影響で増加したと思われる。しかし、現代の集団ではこれ以上環境の影響で大きくなるということはなく、身長の差の大部分は遺伝的な違いであるといえる。

外見として認識できる身長のような特徴だけでなく、行動や性格などの精神的特徴においても遺伝子の違いが個人の違いに影響している。たとえば、個人の行動、感情、思考のパターンによる特徴「個性」は、しばしば性格とよばれる。性格を分類するとき使われるのが、神経質性、外向性、開放性、誠実性、調和性に区別する性格５因子である[(11)]。この５つの特性は、多くの国や民族など異なる集団でも安定して示される。たとえば、外向性はポジティブなことに対する反応の違いを示しており、外向性の高い人は、対人関係、仕事など様々な達成感や快楽をもとめることにより積極的である。また、調和性の高い人は、他人の心に注意を払い、共感し、向社会的性格（他人や社会に対しての援助的行動をとる性格）がつよい。性格の違いの約4割は遺伝子による違いである。GWASを用いた研究では、性格の違いに大きく影響するSNPや、小さな影響しか与えないSNPが多数検出されている。また、この性格の違いは、様々な精神的特性の違いとの関連性がみられる。たとえば、主観的幸福感と神経質性・外向性は相関し、宗教など神秘的現象を信じるかどうかは調和性や誠実性と正の関係性を示し、右翼的あるいは権威的であるかという傾向と開放性は負の関係を示す[12]。

## 1.2　進化のプロセス

ここまで、ヒトの様々な性質の違いの多くが遺伝子の違いによるものであることを述べてきた。進化は、この遺伝子の変異が変化することで生じる。前述したアセトアルデヒド分解酵素遺伝子（ALDH2）を例にもう少し詳しくみてみよう。

ALDH2によって作られるアセトアルデヒド分解酵素の活性に関係するGあるいはAの一塩基多型があることは前述した。日本人の集団中のGの頻度は0.65で、GG, GA, AAの割合は、約31%、49%、19%となる。このGあるいはAの頻度が世代をへて変化していくことが進化である。ゲノム解析の結果から、日本人を含む東アジアの集団では、Aの頻度が自然選択によって増加していることが分かっている[16、17]。日本人では、AA型あるいはGA型の人は、GG型の人に比べて、適応度（一生に残せる子どもの数）が高かったと考えられる。なぜAA型の方が有利になったのかに関しては幾つか説があるが[18、19]、まだよくわかっていない。

「適応度の高い遺伝子型をもつ人がより多くの子どもを次世代に残すことによって遺伝子の頻度が変化すること」が自然選択による進化である。自然選択の結果として、特定の環境で高い適応度に貢献する性質が進化することを適応進化とよぶ。ここで、注意すべきは、自然選択は、集団の中の個体間で、適応度の高い個体が選択されることから、結果的に「個体にとって有利な性質が進化する」と比喩的に表せる。一方、個体にとっては不利な場合でも集団にとって有利な性質（たとえば集団の絶滅を防ぐ）が進化するかどうかの可能性については、古くから議論されてきた。この点については、ここでは深く触れないが、結論からいうと集団にとって有利な性質が進化する場合は限定的である。しかし、後述するように、人間の場合、文化の異なる集団間で選択が起こる可能性が示唆されている。一方、個体にとって有利なために進化した遺伝子が、結果的に種の存続や維持に寄与することは可能である。しかし、ある遺伝子が種を存続させることが原因で進化することはない。

進化は自然選択によって生じるだけではない。遺伝子が子どもに伝わるとき、ランダムに遺伝子が選ばれることによって遺伝子の頻度は変化する。これを遺伝的浮動という。人間は、地域によって様々な集団（人種や民族など）が存在し、その性質は異なっている。その違いのいくつかは自然選択によるものである。たとえば、肌の色、身長、乳糖耐性、脂肪酸合成など、ヒトの異なる集団で独自に自然選択をうけ進化した多くの例が示されている[20]。しかし、その他の違いの多くは、生存や繁殖の差に寄与しない中立な違いであると考えられる。たとえば、前述したように、アジアの500人では350万箇所のSNPがあるが、これをアフリカの500人の集団でみてみると430万箇所にSNPがみられる[6]。アフリカの人が他の地域の人よりも遺伝的変異が高い原因の一つは、出アフリカを果たした人は、アフリカのごく一部の人であり、アフリカの集団の一部の多様性しか引き継いでいないからだと考えられている[21]。また人間はアフリカから世界各地に広がっていくなかで、ゲノム中の多くの変異はランダムに変化したと考えられる。

さらに有害な遺伝子の頻度が増大する進化もある。遺伝子がランダムに選ばれて頻度を変化させる遺伝的浮動の効果は、集団のサイズが小さくなると大きくなる。サイコロを投げて、2と1がでる回数は、1000回投げると1/3回くらいになるが、5回しか投げないと、たまたま、5回とも1か2だけしかでないということもありえる。このような確率的要因によって、生存率が低下して、遺伝子が引き継がれる確率が低下しても、個体数が小さいとたまたま有害な遺伝子が選ばれるということを示している。このようなメカニズムで有害な遺伝子がたまたま増えることがある。人がアフリカを出て分布を拡大していくなかで有害な遺伝子がたまたま蓄積していったと推定されている（これについては論争がある）。これは、人間が分布を拡大するとき、その分布の最先端で拡大をこころみている集団のサイズは小さいと考えられ、そこで有害な遺伝子が蓄積したのではないかという説もある[(22)]。また、現在、医療などの発達で、有害な遺伝子を保持している人でも通常の生活が可能になり、子どもを残している。このことは、本来医療のない世界や厳しい環境では有害とみなされる遺伝子が、中立となって人間集団に蓄積していっていると考えられる。

## 第二節　人間の多様性の維持機構とその意義

### 2.1　人間の多様性はどのように生成・維持されているのか

人間の様々な性質の違いは、遺伝的な差異だけでなく、人間が生殖・授精で誕生し、発生、発達、成長していくなかで経験する様々な要因に影響され、それにより多様な個性をもった人間が形成される。しかし、多くの人間の性質の違いに遺伝的変異が関与しているということは、その関与の程度は性質によって異なるにしても、人間集団内での多様性は、進化の影響を受けて変化し、維持されているといえる。

それでは、なぜヒトの集団の間には、たくさんの遺伝的な差が存在しているのだろうか？　変異が存在している機構としては、以下の要因が考えられる。ゲノム中には突然変異が常に生じ、新たな変異が生まれている。仮にこの突然変異が有害であり、自然選択によって除去されるにしても、すぐには消失せずに集団中にある程度維持される。また、突然変異で生存や繁殖に影響しない中立な変異であれば、偶然に消失することもあれば、偶然に頻度を増大させていくこともある。ヒトの集団中にある遺伝的変異の多くはこのように突然変異で集団中に現れる新しい変異が自然選択や遺伝的浮動によって消失するまで維持されている状態であると考えられている[(23)]。特に、人間の集団中に希にしか検出できない変異は、病気に関連する有害な遺伝子であると考えられている。

一方、自然選択によって積極的に変異が維持される場合もある（平衡選択という）。遺伝的多様性が積極的に維持されている例として、人間の顔の多様性に関わる遺伝子がある。後述するように、人間は、他個体を識別し、その人間に対する感情や行動を変化させる。このことは、識別する側だけではなく、識別される側もメリットがあると考えられる。人の識別に必要な人間の顔は多様である。人間の顔の違いに関わる50の遺伝子を用いた研究では、それらの遺伝子的変異は、頻度の低い変異が有利となる負の頻度依存選択によって変異が維持されていることを示している[(25)]。人間社会の中で、顔は、誰に協力して、誰を排除するかといった識別の鍵となるもので、多様性が積極的に維持されているといえる。

このように、積極的に変異が自然選択によって維持されている遺伝子もあるが、ゲノム全体の変異をみたとき、多くは中立か有害であると考えられている。平衡選択で維持されている変異は多くないと思われる。平衡選択で積極的に維持されている変異はゲノム全体の1%に満たない程度であると推定されている[(28)]。

## 2.2　人間の多様性の生物学的意義

人間の集団中に存在する遺伝的多様性の生物学的な意義について考えてみよう。これまで述べてきたように、集団内の遺伝的変異がなければ生物は進化しない。また、集団内の遺伝的な多様性は、集団サイズの増加や存続にプラスの効果があるという研究もある。たとえば、生物は常に、細菌、ウィルス、寄生虫など様々な病原体の感染にさらされている。それに対抗して、生物は抵抗性をもつ新たな遺伝的変異を維持あるいは創出することで対抗している。実際に、人間でも平衡選択をうけている遺伝子の多くが免疫に関する遺伝子であると推定されている。また、顔の多様性が遺伝的多様性で維持されていることで、人間社会において個人の識別が可能になり、後述するように誰に協力すればよいか、といった協力行動の進化を助ける。

しかし、ここで注意すべき点は、集団内の遺伝的多様性が作り出されているのは、「集団を存続させる」あるいは「集団の絶滅回避」の「ため」ではない。たとえば、集団中に出現した新しい遺伝子は、頻度が少ないために、蔓延している病原体に感染されにくく、そのために頻度を増加させていく。結果として集団内の遺伝的多様性が維持されるが、集団がそれによって存続するのは、感染されにくい変異が選択される結果である。集団をより長く存続させることが原因で、集団内の多様性が出現したわけではない。この点は、一般の人だけでなく、生物学の専門家もしばしば犯す誤りである。

一方で、前述したように集団中に維持されている遺伝的多様性の多くは有害である。また、生物が生息する環境に最も有利な遺伝的変異が集団中を占めているとき、新しく生じた遺伝子や異なる環境で生息していた個体がもたらす遺伝子は、環境に不適応であり、遺伝的な多様性が増加するほど、不適応な遺伝子が増大することになる。つまり遺伝的多様性の増大は、集団中に保有する有害あるいは不適応な遺伝的変異を増大していることにもなる。進化学においては、遺伝的変異は、適応進化を促進する側面がある一方で、適応進化を妨げる要因となって働くという側面もあるということを理解することが重要である。

### 2.3　人間の多様性の社会にとっての価値とは

ユネスコの「文化的多様性に関する世界宣言」の第一条に「生物的多様性が自然にとって必要であるのと同様に、文化的多様性は、交流、革新 、創造の源として、人類に必要なものである。」とある。この一文は、文化的多様性の尊重を謳うものである。この宣言が主張することは以下の点である。「社会がますます多様性を増しているなか、多様な文化や人々が互いに共生しようという意志をもち、調和のとれた形で相互作用することで、社会的結束、市民社会の活力、そして平和な社会が実現できる」、というものである。

実際に、多様な性格、考え方、能力などをもつ人たちが社会にいることで、新しい発見がうまれたり、経済的あるいは科学的な発展をとげたり、多くの人の幸福感をみたす多様な文化が生まれたりする。たとえば、先進的な企業では、多様な人材を生かすことで、業績の向上を試みたりしている。たとえば、チームをつくって問題解決を試みるとき、多彩な人材が共同で取り組むほど成績があがる場合がある[(29)]。ニューロ・ダイバーシティという考えでは、自閉症などの非定型的発達者は、特定の能力に優れており、これらの人々を企業の様々な場面でその能力を生かしてもらうことで、企業の利益を上げていくという取り組みもある[(30)]。また、異なる好みや趣味に合わせて、多様な娯楽や文化などがあるために、多様な産業が発展すると同時に、多くの人が精神的な楽しみや満足を得ている。

しかし、多様性のポジティブな点のみをとらえ、多様性の尊重を謳うことは、逆に、多様性のネガティブな点を浮き彫りにしてしまう可能性もある。前節でも述べたように、人間の多様性をつくる主要な要因の一つは、集団中に出現する有害突然変異が維持されていることによる。つまり人間の間の多様性の原因の一つは、生存率を下げるような有害あるいは病気に関する遺伝子である可能性が高い。また、病気だけでなく、様々な人の特性は遺伝子によって影響されている。たとえば、人間の攻撃性の違いは遺伝子の違いである可能性が高いことが知られている。極端な攻撃性の違いも人の多様性の一形態であるが、このような多様性をどうポジティブにとらえることができるのか難しい問題である。このように、あらゆる人間にみられる多様性を社会の活力を上げることに貢献する、とポジティブに主張することも可能であるが、多様性の維持のロジックとしては矛盾が生じることもある。

進化論が人間社会に悪用された例としてよく上がるのが、社会ダーウィニズムである。ゴルトンは、人為選択によって民族の退化を防ぐために劣った遺伝子を持つものを減らし、優れた遺伝子を持つものを増やそうという優生学を提唱した。ヒトラーは、これを利用し、ユダヤ人の迫害を行ったことは有名である。短絡的に生物学的理論を応用して、もし有用な多様性が人類にとって必要である、という考えを主張すると、人類が生き延びるためには、有害な遺伝子を持つ人は犠牲になってもよい、という考えにつながるかもしれない。

もし、私たちが「多様性の尊重」という規範を受け入れるとするならば、人間が進化したなかで、人間の多様性がなぜ進化的に生じ、維持されているのかということを正しく理解した上で、人間の社会にとってはいい面も悪い面もあるということを認識することが重要であると思われる。その上で、どのように人間の多様性を受け入れる社会を実現していくことが可能かを考える必要がある。

人間は、氷河期があけ温暖な気候のもとで農耕が開始されて以降、多くの人たちが大集団で定住し、巨大な都市や国家が形成されていく中で、様々な差別が行われるようになったと思われる。人間の様々な性質の多様性は、そのような差別を引き起こす原因の一つともなっていると思われ、多様性の尊重を議論するには、人がなぜ差別をするのか、という生物学的な問題について考える必要がある。

## 第三節　人間の多様性の認知機構の進化

### 3.1　協力と差別の進化

人間はなぜ差別をするのかという問題は、協力行動の進化と関連している。生物の協力行動の進化は、進化学の主要なテーマの一つである。人間を含めた生物において、生物の利他行動あるいは協力行動が進化する原因の一つとして、血縁選択とよばれる理論がある。たとえば、プレーリードッグは、捕食者などの危険が迫ったときに警戒音を発する[(31)]。警戒音を発することで、捕食者への危険は増大するが、周りにいる兄弟や子どもは危険を避けることができる。これは、警戒音を発するという性質に関わる遺伝子が、血縁者も同様に共有しているので、自分が捕食される可能性を高めるというコストをはらっても、代わりに血縁者がより多くの子どもを残してくれることで、警戒音を発することに関わる遺伝子の頻度が増加するというものである。もう一つは、互恵利他とよばれる理論で、助けた相手から助けられることを期待するという考えである。吸血コウモリは、血縁関係のない個体に血を分け与える。これは、自分の血を分け与えた個体が、次回は自分に血を分けてくれることで、助けるという行動は自分の利益につながる[(32)]。この互恵利他行動が進化するためには、誰が自分を助けてくれて、誰が助けてくれなかったか、を識別し記憶しておく必要がある。

血縁選択による利他行動の進化は、お互い近くにいる血縁者の間でのみ可能であるし、互恵利他行動は、個体がお互いに顔見知りである集団内でのみ可能である。人が安定した社会の中でお互いに認知して関係をもつことのできる上限が 150 人と言われている[(33)]。その上限を超えた集団の中で、血縁選択あるいは互恵利他行動によって、お互いに協力行動を維持することは難しいことになる。また、互恵利他行動の進化を妨げる要因の一つが、フリーライダー（ただ乗り）と呼ばれる行動である。協力行動による利益だけを得て、ただ乗りする個体は、協力行動をするコストを得ずに利益だけをえるので進化しやすい。個人をお互い特定し認知できる状況では、このようなフリーライダーを検知し、排除する、あるいは、協力行動をしない個体に制裁や罰を与えることで、協力行動が進化することが可能になると考えられている。

人間は狩猟採集で生活をしていたころ、小さな集団で生活をし、狩猟などで得た獲物を分け与えていた。現在の狩猟採集民の調査などからも、集団内では相互に協力的であり、直接的な利益を得ていたといわれている。しかし、人が定住生活をはじめ、農耕が始まり、大規模な集団で協力行動が行われるようになる。人間のこのような大規模な集団での協力行動がなぜ生まれたのかについては、多くの議論があり、まだ確実な説があるわけではない[(34-38)]。

人間の協力行動は、血縁選択による利他行動、そして互恵利他行動からはじまり、言葉や独特に認知機構を獲得したことで、共通の目標を共有し、過去に出会った人との相互作用や共同活動における個人の貢献を記憶あるいは追跡し、これらの情報を他者に伝達することが可能になった[31]。これにより、面識のない個人の評判をもとに協力行動をするかどうかの是非を判断し、無関係な個体間の協力的な相互作用を維持したと考えられる。しかし、協力する人数が、さらに大きくなると、評判による他者の評価は困難になり、大きな規模では、このメカニズムだけでは、協力の維持は難しいことも指摘されている[37]。

大規模集団で協力行動の維持を説明する一つの説として、宗教などのような、人が協力のために共感できるような概念や規範が考え出されたという考えがある[42]。世界最古（おおよそ1万年前）の宗教施設であったと思われる遺跡にギョベックリ・ペテがある。このころ、まだ農耕が始まっておらず、定住生活が始まっていたか確かでないが、この施設を作るのには最低でも500人以上の協力がなければ完成しなかったといわれている[43]。なんらかの共通の宗教を信じている人の間で協力行動が行われたと考えられる。その後、人間が農耕を開始し、多くの人が定住生活をおくり、共通の宗教を信じるようになる。向社会行動（他の人や社会のために行う利他行動）などを説く宗教的規範のもとに、同じ宗教規範を信じているかどうかが他個体の評価となり、また規範を共有しない非協力者に対しては、超自然的な制裁となる。心理学的実験では、神を意識させることで、利他的行動が高まることが示されている[42]。共通の規範を目標にし、評判をもとに協力するかどうかを個人の利益をもとに判断する場合とは異なり、費用便益を抜きにして、規範（宗教）に対して多くの人が強い共感を示したものと考えられる。この共感能力には、情動・認知の進化が関係していたと思われる。人間が獲得したこの認知能力によって、宗教のような架空の概念を作り出すだけでなく、その概念を信じ強く共感する能力が出現したと考えられる。このような規範となる概念は、宗教だけとは限らない。多くの人が共感し、同じ規範を共有することで、特定の集団の帰属意識をたかめるものであればよいと思われる。ハラリは、著書『サピエンス全史』のなかで、人間は認知機能の進化により、帰属意識をもてる架空の概念（共同主観的虚構）をつくりだすことが可能になった。その概念で規定される偏狭的な規範に従うことで、協力行動を行い、規範に従わない人を罰することで、大規模な集団で協力行動が可能になったとしている[44]。この架空の概念は、宗教だけでなく、民族主義、国家主義などの他、共産主義や人間主義まで含まれるとした。

### 3.2　集団内および集団外での人間の認知機構

概念規範を共有する集団に属する人を識別し、向社会的行動や協力行動をとる一方、同じ集団に属さない人を区別し、差別的な扱いをする。われわれ人間は、脳内でおこる様々な神経活動によって、このようなバイアスのかかった認知や行動傾向を示す[45]。

人間は他個体の感情を理解し、共有する共感能力をもつ。たとえば、人間は、他人が痛みを感じていると、自分もその痛みを想像し、共感する[45]。さらに、そのような共感は、他個体を助けたり、はげましたり、寄附をしたり、といった利他行動あるいは向社会行動を引き起こすことが実験的にも示されて、それに伴う脳内の神経活動も示されている。たとえば、他人の痛みに共感すると、自分が痛みを感じるときと同様の脳内部位が反応する[45]。

人間は、同じ集団に属するかどうかを素早く判断し、同じ集団内のメンバーに対して協力するという「内集団ひいき」が生じる。同じメンバーとは、たとえば、同じ地域に住む住人であったり、同じ民族であったり、同じサッカーチームの応援団だったりする。また、実験的に、集団のメンバーをランダムに割り当てられた場合でも、その集団内の人々は自分の集団のメンバーシップに応じて異なる扱いをし、向社会的な好みや協力的な信念における集団内のバイアスを示す。人々は集団外のメンバーよりも集団内のメンバーを評価し、信頼する傾向にある[45]。

顔見知りで、お互い安心できる人の間の強い絆で結束した集団に属するほど、「内集団ひいき」が強まる[46]。しかし、「内集団ひいき」が生じる集団は、かならずしも顔見知りである必要はない。たとえば、「同じ宗教を信じている集団」、「同じ村に住んでいる集団」、「同じ言葉を話す集団」など、お互いに顔見知りでなくても「内集団ひいき」と外集団への差別は生じる。山岸は[46]は、相手が利己的に振る舞うと自分がひどい目にあう状況を「社会的不確実性」の状況とし、そこでは、集団内のメンバーを越えて、意識的に自分の利害にこだわらず相手を高く信頼することが、結果的に大きな利益につながることがあるとしている。また、人を信頼する傾向のある高信頼者と低信頼者がおり、社会的知性がその差を生み出していると議論している。しかし、ある人にとって「信頼できる人達」と「信頼できない人達」の集団が認知され、信頼できる人の集団へのひいきと信頼できない人達への差別が生じるかもしれないし、高信頼者と低信頼者の間の対立がうまれるかもしれない。

「人種」（ここでは、白人、黒人、アジア人といったヒトの集団）に対する共感と差別に関しての研究は多く、人間は同じ人種に共感をしめすことが実験的にも明らかになっている[47-49]。神経画像研究では、自己報告により同じ人種により共感性を示していないとする自己評価であっても、脳活動では人種内バイアスが示されている[47]。このことは、人種差別は無意識に行われることを示している[47]。

人間は、様々な特徴に基づいて、すばやくカテゴリーに分類する（47）。また、経験あるいは見聞きした事例をもとに、他者を「集団内」または「集団外」に分類し、一般化した手がかりをもとにステレオタイプ化をする傾向がある[47]。たとえば、「黒人は野蛮である」という一部の誤った認識が、黒人というカテゴリーを表す特徴としてステレオタイプとなる。このような、認知バイアスが、ヒトを区別する差別となって表れる。神経科学の分野では、偏見やステレオタイプの認知機構を解明し、どのような介入を行うと、差別が軽減するかという研究が行われている[47]。

集団外のメンバーに対する差別的な扱いは、集団内のメンバーへのバイアスのかかった協力関係に基づいている。個人は、集団外のパートナーよりも集団内のパートナーの方が、より多くの協力を期待するという[47]。人間は、集団外の自分と類似しない他者の行動を、集団のステレオタイプを用いて想像する傾向がある[50]。このような認知機能により、人間は内集団への共感と利他行動と同時に外部への偏見、対立、攻撃性へとつながっている。人間の様々な性質の多様性は、協力行動をおこなう人を選好し、他者を差別するしくみとして使われている。

人間の集団内メンバーへの認知と協力に最も関係していると考えられる神経ホルモンがオキシトシンである。オキシトシンは[46]、集団内メンバーへの共感や向社会性にかかわるだけでなく、集団に属するメンバーかどうかを迅速かつ正確に認識し、集団内の偏った選好と信念に関わる。さらに、集団内の利益となる集団外への攻撃の行動を増加させる。一方でテストステロンは、テリトリーをめぐる競争の激化や、集団外メンバーを個人的な犠牲を払って罰する行動に関与するらしい[46]。

### 3.3　認知機構の進化

「集団内」メンバーへの選好・識別、共感、協力行動と集団外メンバーの差別」というヒトの認知行動機構は、どのように進化したのだろうか？ヒトが誕生して農耕が開始されるまで、狩猟採集生活をおくっていた。その間、ヒトは集団で協力して狩りをし、平等に獲物をわけあったと考えられている。グループ内のメンバーを識別し、協力行動をするという認知行動機構は、この間に進化的に獲得したのかもしれない。しかし、協力、共感、集団認識といった人間の性質は、一度に獲得されたものではなく、それらを可能にする複数の情動・認知機構の進化の組合わせによって可能になったと思われる[51]。

他者が何を考えたり、感じたりするのか知る能力を「心の理論」とよぶ[52、53]。人間が、他人に共感したり、助けたりするのに、他者が助けを必要としているかを感じとる必要がある。このような能力は、人間の誕生する前の古代人（ネアンデルタール人など）も持っていた可能性がある。また、他の霊長類も他者の知識や意図に関する情報を利用していることが明らかになっている。しかし、霊長類（特に大型霊長類）では、他者の理解は、他者を欺いたりすることに使われるのに対し、人間では、協力的あるいは向社会的状況でその認知能力が使われるという[54]。

つまり、人間はすでに獲得していた「他者の考えを知る能力」をもとに、協力行動を進化させたと考えられる。

さらに、約10万年前の人間の遺骨といっしょに、装飾品など体に身につけるものが見つかることから、このころから他者から自分がどう思われているか、という自分をみつめる自分（内省的自己意識）が生じたと指摘されている[(52)]。内省的自己意識は、自分の内面に気づき、他者に伝える能力と関連して、言語の獲得にも影響したと主張する研究者もいる[(55)]。

また、人間は約4万年前から1万年前にかけて、それまでにない道具や武器の発明、道具の改良、装飾品、死者への副葬品、絵画、楽器、など様々な人間の創作物が出現した。このような出来事が、この期間におこった「人間の認知革命」と呼ぶ研究者もいる。一方で、これらは内省的自己意識の獲得によって生じたものであるかもしれない。トリー[(52)]は、自伝的記憶（生活の中で経験した，様々な出来事に関する記憶の総体）を獲得し、それにより、過去の経験を生かして、将来の計画をたてる能力が生じ、それにより、人間は他人の死が自分に訪れることを理解したのではないかという。それにより超自然的な存在やアニミズムなどの宗教のもとになったのではないかという。

進化の過程でいくつかの異なる認知能力の獲得は、脳の拡大や構造的変化、神経ネットワークや伝達経路の変化とそれに伴う神経伝達物質の質的・量的変化によっている。人間の認知能力の様々な側面は、一度に獲得されたわけではなく、徐々に変化しており、現在も進化していると考えられる。人間は、「他人の心を類推する能力」「内省的自己意識」「自伝的記憶」などがそれぞれ独自に獲得し、それらの認知能力が集団内の協力という動機付けと重なることにより、内集団メンバーの協力、宗教や虚構への共感性、集団外メンバーへの差別という認知機構を獲得したのかもしれない。

人間が誕生してから現在にいたるまで、このような新たな認知機構の獲得だけでなく、たとえば共感性の程度や共感をむける相手の変化といった定量的変化も常に生じている。たとえば、人間の脳の形態は、農耕が開始された以降、頭蓋顔面の女性化（眉間突起の減少と顔面上部骨格の短縮）が起こっており、これは血中テストステロン濃度の低下を反映し、社会的寛容の進化を反映するとする研究がある[(56)]。脳の形態の女性化は社会生活のなかでのアンドロゲンの減少と社会的抵抗性に対応しているのではないかと考察されている。また、前述した向社会性や共感性の関与するオキシトシンの作用の個人差に影響する遺伝的変異がいくつか知られている。特にオキシトシン受容体遺伝子にある一つのSNP（rs5357）は、GとAの変異があり、G型はA型の人に比べてより共感性が高く、向社会行動をとり、集団主義的傾向が高い[(45)]。これらの変異は、人間の集団で異なる頻度を示し、変異の一つは集団間で異なる自然選択を受け、異なる頻度に進化した可能性が指摘されている[(57)]。この変異の影響は、たとえばヨーロッパ系アメリカ人と韓国人では異なっており、文化的背景をうけて遺伝子の効果が変化しているようである[(58)]。また、別のオキシトシン受容体遺伝子の変異SNP（rs237887）は、社会的認識（たとえば顔をどれくらい覚えているか）に関連している[(59)]。

## 第四節　進化的視点からみた多様性の尊重

ハラリは著書『ホモ・デウス』[(65)]の中で、2012年に全世界で暴力が原因で死亡したのは62万人（全人口の1％）で 自殺者80万人よりも少なく、殺人は人類に残された主要な問題ではないとしている。人類の長い歴史からみて殺人が減少していることは確かである。ハラリは、人類が暴力を減らすことができたのは、「人間の内命」を尊重する人間至上主義（ヒューマニズム）によって人間が動かされているからであるとしている。人間至上主義には、自由主義、共産主義、進化論的人間至上主義の分派があるとしている。ハラリのいう自由主義とは、人間の個人の感情をよりどころにして、判断するというものである。たとえば、殺人がよくないのは、犠牲者やその家族、友人、知人にひどい苦しみを与えることによって、個人の感情を害するからである。個人の感情をもとに「人を殺してはいけない」という規範やルールを設定する。同性愛は当事者の個人的な感情に基づいて行動している結果であり、それを禁止することで、その人の感情は傷ついてしまう。つまり個人の自由を尊重し、権利を保障するという立場につながる。個人の感情や受け止め方が異なり、対立する場合は、より多くの人が共感する方の立場を優先する、いわゆる民主主義の手順を踏む（意見や感情は多様であるため、民主主義の制度は常に問題をはらむことになる）。共産主義によると、個人々の意志に従っていたのでは不平等が生じる。そこで、自分の感情に依存するのではなく、自分の行動が他者の経験にどう影響するかに注意を向ける。そのために、社会主義政党や組合といった集団的組織の意見にしたがう。進化論的人間主義は、自然選択の理論に基づいて人間は進化していくのだから、優秀な人間の意見にしたがい、優秀な人間が生き残っていくべきであるとする。現在、進化論的人間主義は多くの人から否定され、共産主義は一部で生き残っているだけである。

現在の自由主義は、個人の感情や意志を尊重し、「個人がどう感じるか」という感情で規範を判断する[62]。殺人は罰するというルールは、多くの人が殺された人に共感できるからである。他人の痛みや感情を予測し、自分の痛みとして共感できる能力が進化してきたことが、自由主義による規範の設定を成り立たせている。現在の人間社会は、生物学的現象から独立したものではなく、進化によって生じてきた感情認知システムがつくりだしたものといえる。一方で、本稿でみてきたように、人間には、感情や性格、考え方に違い（多様性）があり、その違いの多くの部分は進化によって生じている。この違いは、他人に対する共感性にも違いがあり、人間共通の規範を設定することの難しさにもつながっていると思われる。

現在、移民の増大による民族主義や国家主義の台頭による人種差別などの問題が顕在化している。実際に、ヨーロッパと北アメリカを対象とした研究では、民族的多様性と、市民参加・公共財供給・信頼などの望まれる方向性とに負の関係があり[67]、また、87の研究結果を総合的に解析した研究（メタ解析）では民族の多様性が高まるほど社会的信頼性は下がることが示されている[68]。一方で、covid-19などの世界的感染症対策や、温暖化や開発による環境問題などを克服し、地球規模で持続可能な社会をめざそうとするSDGs（持続可能な開発目標）など、人類全体としての目標を達成する必要が生じてきた。SDGsの目標は、地球上のすべての人が食糧、文化的性格、健康などを享受できるという平等の理念のもと、目標5ではジェンダー平等を目標10では、国内・国外間の不平等をなくす、というゴールが掲げられている。そのような中で国家レベルや地球全体の規模で「多様性の尊重」という規範が必要になってきた。多様性の尊重、差別をなくすという規範の達成には、大多数の人がこの規範に共感し、個人の利益を削っても、達成するという意思が生まれなければならない。

本稿で議論したように、人間は、元来、協力すべき集団内のメンバーと集団外のメンバーを区別しようとする認知行動様式を進化させ、集団外の人を区別し、敵対的に行動することが示されている。現在、集団間の対立状況におかれている人々は、現実的に「差別はよくない」という規範に共感できたとしても、自分の属する集団外の人々を同等に扱うという規範には共感するのは難しいかもしれない。また、差別しないという規範には同意していたとしても、無意識に差別してしまう認知傾向を人間はもっている。また、共感性や協力行動に関わる性質にも遺伝的変異があり、すべての人が共感できるような規範を策定する上での困難さがともなうかもしれない。

内集団と外集団を区別し、外集団への批判や敵対心をあおることで、集団内メンバーの協力や結束を強めるという人間の性質は、古くから政治的に利用されてきた。ポピュリズムとよばれる政治的立場はその典型である。既存の体制や知識人、異民族や外国人などを敵対することで、民衆という集団に属する人に対して共感を呼びかけるという立場である。特に、理論的な正当性よりも、感情的な共感と敵対を強調することで多くの人を引きつけるという手法である。このような政治的手法は、人間の心理的特性をうまく利用しているために、政治的主張が不合理で事実をもとにしていなくても支持されやすくなる。

様々なレベルでの集団内および集団間での多様性を尊重し、差別をなくす、という規範を達成することは、外集団への差別という認知バイアスをどう顕在化させないか、という点を克服しなければいけない。本稿でみたように、人間には、様々な性質に関して違いがある。また、その違いは、人間個々人や集団にとって利益をもたらすような違いとは限らない。そのような多様な違いに関して、人は任意に自分と同じ集団に属する人、属さない人という区別をしてしまう。

「集団内ひいきと集団外差別」という認知バイアスを軽減して、多様な社会での向社会性の向上や差別の減少を試みる施策が提案されている。神経心理科学的な分析から、外集団のメンバーと常時コンタクトをとれるような状況をつくることで、偏見が減ることが示されている[(69)]。多様な社会として機能させるためには、向社会的行動が向けられる特定の集団への依存を抑制し、集団に対するアイデンティティを弱める必要性があり、その対策として社会的分化と経済的相互依存が提案さている[(67)]。社会的分化とは、個人が様々なアイデンティティと役割をもつことで個人化（individualization）を促すことである。前述したように、強い絆で結束した集団に属するほど、「内集団ひいき」が強まり、集団外に対する信頼性が低下する[(46)]。そのため、親密な関係のある集団を越えて、異なる集団に属する人との接触を促進させる必要がある。生活の様々な機会で、異なる集団に属する人達との接触が増えるような社会システムが重要であるとしている。たとえば、学校や職場、さらには、相互に利益を追求するような経済的場面で、異なる集団のメンバーとの接触を増やすことを提案している[(67)]。

このような対策や処置は、ある程度有効な手段かもしれないが、その効果は限定的であるかもしれない。個人を複数の異なる集団へのアイデンティティを高めたとき、その複数集団の間で互いに利益が対立しない場合は、差別や多様性の許容につながるかもしれない。しかし、人間は、特定の集団内で深い結束のもと利益を追求しがちである。そのために、自分の属する集団の間で利益が対立した場合、特定の集団への帰属心が高まり、他の集団に対してのアイデンティティが低下し、そのメンバーに対して敵対する可能性は高い。

これまで人類は、他の生物では不可能な大規模な集団で協力するという能力を獲得したことで、様々な文化、技術や科学的成果を生み出し、文明を発展させてきた。このような科学的成果をもたらした知性や合理的な考え自体も、進化の過程で獲得してきた情動や認知システムに常に影響され続けている。たとえば、現在でも人間は、共感性を高めたり、幸福感を得ようとする欲求に突き動かされている。SDGs においても、持続的な経済発展のもとでの幸福感の向上という人間の欲求を、人類共通に享受できることをめざすものである。人間は様々な性質において多様な遺伝的変異を保有し、現在でも変化させている。共感性、協力傾向、幸福感、他人への信頼傾向などの精神的特性も多様であり、人間共通の目標に対する捉え方は個人によって多様である可能性がある。このような多様な考えの中で目標達成をめざすには、罰則や強制力のあるルールづくりが必要かもしれない。人間のもつ多様性はプラスの面だけではなく、差別や区別を助長し、平等性を困難にしているということも人間の進化の結果であり、避けては通れない問題である。

## おわりに

本稿を執筆するにあたり、田村光平氏、内田亮子氏、長谷川寿一氏に原稿を読んでご意見を頂き、修正点などを指摘していただいた。紙幅の制限から削除せざるを得なかった部分や専門的な知見をさらに加えるなどした原稿を、著者の責任をもって、以下のアドレスで web 公開し、ひろく研究教育に資するようオープンアクセスとした。

https://ochotona0.wixsite.com/mysite/diversity

## 引用文献


1. Galway-Witham, J. and Chris Stringer（2018）How did Homo sapiens evolve? Science, 360:1296-1298.
2. Nielsen, R., et al.（2017）Tracing the peopling of the world through genomics. Nature, 541:302-310.
3. 齋藤成也編著（2020）最新DNA研究が解き明かす日本人の誕生．秀和システム．
4. Kanzawa-Kiriyama, H., et al.（2019）A partial nuclear genome of the Jomons who lived 3000 years ago in Fukushima, Japan. Journal of Human Genetics, 62: 1-9.
5. Chen, C.-H., Fet al.（2014）. Targeting Aldehyde Dehydrogenase 2: New Therapeutic Opportunities. Physiological Reviews, 94:1-34.
6. 1000 Genome Consortium（2015）A global reference for human genetic variation. Nature, 526:68-74.
7. Bowden, R., et al.（2012）Genomic Tools for Evolution and Conservation in the Chimpanzee:*Pan troglodytes ellioti* is a Genetically Distinct Population. PLoS Genetics, 8:e1002504-10.
8. Wood, A. R., et al.（2014）Defining the role of common variation in the genomic and biological architecture of adult human height. Nature Genetics, 46:1173-1186.
9. Akiyama, M., et al.（2017）Genome-wide association study identifies 112 new loci for body mass index in the Japanese population. Nature Genetics, 49:1458-1467.
10. Benonisdottir, S., et al.（2016）Epigenetic and genetic components of height regulation. Nature Communications, 7:1-10
11. ダニエル・ネトル（竹内和世訳）（2009）パーソナリティを科学する．白揚社
12. Soto, C. J.（2019）How Replicable Are Links Between Personality Traits and Consequential Life Outcomes? The Life Outcomes of Personality Replication Project. Psychological Science, 4:1-17.
13. Sadikaj, G., et al.（2020）CD38 is associated with communal behavior, partner perceptions, affect and relationship adjustment in romantic relationships. Scientific Reports, 10:12926
14. Ganna, A. et al.（2019）Large-scale GWAS reveals insights into the genetic architecture of same-sex sexual behavior. Science, 365:eaat7693.
15. Kanzawa-Kiriyama, H., et al.（2019）Late Jomon male and female genome sequences from the Funadomari site in Hokkaido, Japan. Anthropological Science, 127:83-108.
16. Yasumizu, Y., et al.（2020）Genome-Wide Natural Selection Signatures Are Linked to Genetic Risk of Modern Phenotypes in the Japanese Population. Molecular Biology and Evolution, 154:1306-1316
17. Okada, Y., et al.（2018）Deep whole-genome sequencing reveals recent selection signatures linked to evolution and disease risk of Japanese. Nature Communications, 9:1631.
18. 水野雄二（2019）アルデヒドが心筋梗塞、がんを生む．青灯社．
19. Li, H., et al.（2009）Refined Geographic Distribution of the Oriental ALDH2*504Lys（nee 487Lys）Variant. Annals of Human Genetics, 73:335-345.

20. Fan, et al.（2016）Going global by adapting local: A review of recent human adaptation. Science ,354:54-59.

21. Tucci, S., and Akey, J. M.（2019）The long walk to African genomics, Genome Biology 20:130.

22. Henn, et al.（2015）Estimating the mutation load in human genomes. Nature Reviews Genetics, 16:333-343.

23. Eyre-Walker, A., and Keightley, P. D.（2007）The distribution of fitness effects of new mutations. Nature Reviews Genetics, 8:610-618.

24. Gouagna, L. C., et al.（2010）Genetic variation in human HBB is associated with Plasmodium falciparum transmission. Nature Genetics, 42:328-331.

25. Sheehan, M. J.,and Nachman, M. W.（2014）Morphological and population genomic evidence that human faces have evolved to signal individual identity. Nature Communications, 5:4800.

26. Sato, D. X. and M. Kawata（2018）Positive and balancing selection on SLC18A1 gene associated with psychiatric disorders and human-unique personality traits. Evolution Letters, 2:499-510.

27. Sato, D. X., Y. Ishii, T. Nagai, K. Ohashi, M. Kawata（2019）Human-specific mutations in VMAT1 confer functional changes and multi-directional evolution in the regulation of monoamine circuits. BMC Evolutionary Biology, 19:220.

28. Bitarello, B. D., et al.（2018）Signatures of Long-Term Balancing Selection in Human Genomes. Genome Biology and Evolution, 10:939-955.

29. Krause, J., et al.（2010）Swarm intelligence in animals and humans. Trends in Ecology & Evolution, 25:28-34.

30. オースティン、R.D. ピサノ、G.P.（有賀祐子訳）（2018）ニューロダイバーシティ：「脳の多様性」が競争力を生む．ダイヤモンド社．

31. Hoogland J. L.（1983）Nepotism and alarm calling in the black-tailed prairie dog, Cynomys ludovicianus. Animal Beharior, 31:472-479.

32. Wilkinaon G.S.（1984）Reciprocal food sharing in the vampire bat. Nature, 308, 181-184.

33. Dunbar, R. I. M.（1992）Neocortex size as a constraint on group size in primates. Journal of Human Evolution, 22: 469-493.

34. Melis, A. P., and Semmann, D.（2010）How is human cooperation different? Philosophical Transactions of the Royal Society B: Biological Sciences, 365:2663-2674.

35.Powers, S. T., et al.（2016）How institutions shaped the last major evolutionary transition to large-scale human societies. Philosophical Transactions of the Royal Society B: Biological Sciences, 371: 20150098.

36. Powers, S. T., and Lehmann, L.（2016）When is bigger better? The effects of group size on the evolution of helping behaviours. Biological Reviews, 92: 902-920.

37. Tomasello, M., et al.（2012）Two Key Steps in the Evolution of Human Cooperation. Current Anthropology, 53:673-692.

38. Apicella, C. L., and Silk, J. B.（2019）The evolution of human cooperation. Current Biology, 29:R447-R450.

39. Boyd, R. and Richerson, P. J.（1985）Culture and the Evolutionary Proces, University of Chicago Press.
40. Handley, C., and Mathew, S.（2020）Human large-scale cooperation as a product of competition between cultural groups. Nature Communications, 11:702.
41. Sterelny, K.（2016）Cooperation, Culture, and Conflict. The British Journal for the Philosophy of Science, 67:31-5.
42. Norenzayan, A., & Shariff, A. F.（2008）The origin and evolution of religious prosociality. Science, 322:58-62.
43. NHKスペシャル取材班（2012）ヒューマン：なぜ人間は人間になれたのか．角川e文庫.
44. ユヴァル・ノア・ハラリ（柴田裕之訳）（2016）サピエンス全史：文明の構造と人類の幸福．河出書房新社.
45. Han, S.（2018）Neurocognitive Basis of Racial Ingroup Bias in Empathy. Trends in Cognitive Sciences, 22:400-421.
46. 山岸俊男（1998）信頼の構造：こころと社会の進化ゲーム．東京大学出版会.
47. Dreu, C. K. W., et al.（2020）Group Cooperation, Carrying-Capacity Stress, and Intergroup Conflict. Trends in Cognitive Sciences, 24:760-776.
48. Kubota, J. T., et al.（2012）The neuroscience of race. Nature Neuroscience, 15: 940-948.
49. Amodio, D. M.（2014）The neuroscience of prejudice and stereotyping. Nature Reviews Neuroscience, 15:670-682.
50. Ames, D.R. et al.（2012）Mind-reading in strategic interaction: the impact of perceived similarity on projection and stereotyping. Org. Behav. Hum. Dec. Proc., 117:96-110.
51. Enard, W.（2016）The Molecular Basis of Human Brain Evolution. Current Biology, 26:R1109-R1117.
52. フラー・トリー、E.（寺町朋子訳）（2018）神は脳がつくった．ダイヤモンド社.
53. Spreng, R. N., et al.（2009）The Common Neural Basis of Autobiographical Memory, Prospection, Navigation, Theory of Mind, and the Default Mode: A Quantitative Meta-analysis. J. Cogn. Neurosci., 21:489-510.
54. Burkart, J. M., et al.（2014）The evolutionary origin of human hyper-cooperation. Nature Communications, 5:4747.
55. Passingham, R.（2008）What Is Special About the Human Brain? Oxford: Oxford University Press.
56. Cieri, R. L., et al.（2014）Craniofacial Feminization, Social Tolerance, and the Origins of Behavioral Modernity. Current Anthropology, 55: 419-443.
57. Schaschl, H., et al.（2015）Signatures of positive selection in the cis-regulatory sequences of the human oxytocin receptor（OXTR）and arginine vasopressin receptor 1a（AVPR1A）genes. BMC Evolutionary Biology, 15: 85-12.
58. Kim HS, et al.（2011）Gene-culture interaction: oxytocin receptor polymorphism（OXTR）and emotion regulation. Soc Psychol Pers Sci., 2:665-72.
59. Skuse, D. H., et al.（2014）Common polymorphism in the oxytocin receptor gene（OXTR）is associated with human social recognition skills. PNAS, 111:1987-1992.

60. アラン・ミラー/サトシ・カナザワ（伊藤和子訳）（2019）進化心理学から考えるホモサピエンス．パローリング株式会社．
61. Mathieson, S., & Mathieson, I.（2018）FADS1 and the Timing of Human Adaptation to Agriculture. Molecular Biology and Evolution, 35:2957-2970.
62. Ye, K., Gao, F., Wang, D., Bar-Yosef, O., & Keinan, A.（2017）Dietary adaptation of FADS genes in Europe varied across time and geography. Nature Ecology & Evolution, 1:0167-11.
63. Li, X., et al.（2019）A diffusion tensor imaging study of brain microstructural changes related to religion and spirituality in families at high risk for depression. Brain and Behavior, 9:e01209-13.
64. Wallace, L. E., et al.（2018）Does Religion Stave Off the Grave? Religious Affiliation in One's Obituary and Longevity. Social Psychological and Personality Science, 10:662-670.
65. ユヴァル・ノア・ハラリ（柴田裕之訳）（2018）ホモ・デウス．河出書房新社．
66. 河田雅圭（1990）はじめての進化論．講談社現代新書．
67. Baldassarri, D. and M. Abascal（2020）Diversity and prosocial behavior. Science, 369:1183-1187.
68. Dinesen, P. T., et al.（2020）Ethnic diversity and social trust: A narrative and meta-analytical review. Annual Review Political Science, 23:441-465.
69. Miles, E., and Crisp, R. J.（2013）A meta-analytic test of the imagined contact hypothesis. Group Processes & Intergroup Relations, 1:3-26.

# 第二章　多様性と多文化共生
## ――社会学の視点から――

佐藤　嘉倫

### はじめに　――耳障りのいい言葉――

本章のテーマは「多様性と多文化共生」である。「多様性」も「多文化共生」も日常生活でよく聞く、耳障りのいい言葉である。両者とも、多様性のある社会、多様性を重視する企業、多文化共生を目指す社会、などなどプラスの価値観を伴って用いられている。これらの言葉に疑問をはさむ余地はないほどである。

しかし本章ではあえてこれらの言葉に対して疑問を呈することを議論の出発点にして、多様性と多文化共生に対する社会学的な考察を進める。なぜなら、社会学という学問は社会を自省的に捉えるという特徴を有しているからである。簡単に言えば、社会学者は、人々が良いとか悪いとか言っていることをいったん立ち止まって「本当にそうかな？」と問い直すことを研究の一部としている。本章でも、「多様性」と「多文化共生」についてプラスの価値観からいったん自由になってこれらの言葉を考え直す。具体的に言えば、「多様性は無条件にいいことか？」、「多文化共生は実現可能か？」という問いに対して答えていく。

### 第一節　多様性はいいことか？

#### 1－1　2つの仮想事例

先に述べたように、現代社会では多様性が重要だと考えられている。たとえば、アメリカのコンサルティング会社であるマッキンゼー社は、多様性のある企業の方がそうでない企業よりも業績がよいという調査報告を公表している（Hunt, Layton, and Prince, 2005）。この報告では、たとえば人種・民族的多様性において上位25%以内に入る企業は、当該業界の中央値よりも30%以上財務パフォーマンスが高い傾向にある。

性別の多様性において上位25%以内に入る企業は、当該業界の中央値よりも15%以上財務パフォーマンスが高い傾向にある。

アメリカにおいて、人種・民族的多様性と財務パフォーマンスは比例関係にあり、多様性が10%高まるにつれてEBITは0.8%向上した。（著者注：EBITとは、Earnings Before Interest and Taxesの略称で、利息調整や税金控除をする前の利益のことである。）

ということが指摘されている[註1]。これらの知見を見ると、多様性は企業のパフォーマンスを高めているように見える[註2]。

しかし私は無条件で多様性がプラスの効果を持つとは考えない。この主張を展開するため、2つの仮想事例を考えることにしよう。

第1の例は、外国人の傭兵からなる小隊である。傭兵はさまざまな国から来ているので小隊の多様性は非常に高い。この小隊が敵に急襲されたとしよう。この状況で、小隊長が「本隊は多様性を重視しているので、どう戦うかみんなの意見を聞こう」と言って兵士たちに「お前はどこから来ている？」「アメリカです」「アメリカではこういう時にどう戦っている？」「お前はどこからだ？」「中国です」「中国ではどうやって戦っている？」「お前はどこから来た？」「エジプトです」「エジプトではこんな時どう戦っている？」と兵士たちの出身国の戦い方を尋ね、「それぞれの国では戦い方が違うな。さてどうしよう」などと考えていたら、どうなるだろうか。もちろんあっという間に敵にやられてしまう。この仮想事例は多様性が必ずしも望ましい結果を生み出すとは限らないことを示唆する。

第2の仮想事例は、地方の小さな町で地元の人に愛されて100年くらい続いている和菓子の店である。この店に地元の大学で多様性について研究している教授が来て、店主に「今は多様性の時代ですから、このお店も外国人を雇って多様化しなければいけませんよ」と言ったとしよう。この時、店主は外国人を雇おうと思うだろうか。もちろん思わない。必要ないからである。外国人で英語をしゃべる人や中国語をしゃべる人を雇ったとしても、地元の顧客は日本語しかしゃべらないから、そのような人は必要ない。この仮想事例は多様性が必ずしも必要というわけではないことを示している。

このように、多様性は場合によって社会や集団、組織にマイナスの効果を持ちうるし、必要ではないこともある。一方で、現代社会では多様性の必要性や重要性がしばしば指摘されている。このギャップをどう考えればいいのか。本章では、昔の組織理論だが、1960年代後半に多くの研究者に提唱されたコンティンジェンシー理論を導きの糸としてこのギャップを埋めることにする。

### 1－2　コンティンジェンシー理論

コンティンジェンシー理論の「コンティンジェンシー」とは英語でcontingencyのことである。contingencyは形容詞contingentの名詞形である。contingentはcontingent onという使われ方がよくされる。contingent on～は「～を条件として」とか「～次第である」という意味である。このことがコンティンジェンシー理論の特徴をよく表している。端的に言えば、コンティンジェンシー理論は「組織のアウトプットの水準はその組織が置かれた環境に組織の構造が適しているかどうかによって決まる」という理論である（加護野、1981; 崔、2002)。

コンティンジェンシー理論以前の組織論では、組織を取り巻く環境のことはあまり考慮せず、どのような組織構造が最適なアウトプットを生み出すのか、という問題意識の下に研究が進められてきた。たとえば、官僚的な組織構造と柔軟な有機的組織構造のどちらが望ましいかというような研究が行われた。

コンティンジェンシー理論は、この研究動向に対して、組織を取り巻く環境（さらには組織が扱う技術）に対して適合的な構造を持っている組織が高いアウトプットを生み出すという主張を展開した。つまり最適な組織構造は環境次第である（contingent on）という主張である。

今から見れば、当たり前と言えば当たり前の話だが、当時は革新的な理論として多くの研究者の耳目を集めた。そして、この古い理論の考え方を応用することで、現代における多様性礼賛の大合唱に一石を投じることができる。つまり、多様性の高い組織や社会が高いアウトプットを生み出すかどうかはその組織や社会が置かれている環境による。

１－１で述べた第１の仮想事例の戦闘状態の小隊では多様性がマイナスのアウトプットを生み出してしまう。このような環境では同質的な兵士からなり、命令系統が垂直的に明確である小隊でなければ、戦闘に勝つことはできない。しかしその小隊が、インターネットを飛び交うさまざまな国の軍事情報を収集するミッションを命じられたならばどうだろうか。さまざまな国から参加している傭兵は自国の言葉を自由に操ることができるので、小隊の多様性はプラスのアウトプットを生み出す。

第２の仮想事例の地方の小さな町の和菓子店についても同じような理解をすることができる。地元の人々に長い間愛されてきた店が多様性を高める必要はない。しかしその地域の人口が減少してきて、地元の顧客だけを相手にしていたら経営が成り立たなくなったとしよう。そして和菓子店が状況を打破するために世界に打って出て、中国に支店を出そうとしたら、どうなるだろうか。日本人の店員を支店に派遣しても役に立たない。中国語を流暢に話すことはできないし、中国の文化も商慣習もよく分からないし、中国の顧客がどういう菓子を求めているのかも分からない。当然、これらのことに精通した現地の中国人を雇用することになり、多様性が高まる。

コンティンジェンシー理論を用いた２つの仮想事例の分析から得られた知見は、組織を取り巻く環境がドメスティックならばその組織は多様性を高める必要はないが、環境がグローバルならばその組織は多様性を高める必要がある、ということである。この知見はさまざまな組織や社会に当てはめることができる。東北大学を例に取ろう。東北大学は現在、積極的にグローバルな展開をしている。たとえば国際共同大学院プログラムやグローバル・リーダー・プログラムを創設し運営している。国際共同大学院プログラムは「東北大学の強みを活かし世界を牽引できる分野や、今後重要になり人類の発展に貢献できる分野を選定。部局の枠を超えて東北大学の英知を結集し、海外有力大学との強い連携のもと共同教育を実践」するプログラムであり、グローバル・リーダー・プログラムは「東北大学の特長である柔軟で強固な『専門基礎力』に加え、その専門能力を充分に発揮し、産学官のさまざまな分野でグローバルに活躍するために必須となる『グローバル人材としての能力』を身につけるための実践プログラム」である（註3）。このように東北大学自体がグローバル化するとともに海外留学プログラムも充実させている。東北大学がこのようなグローバル戦略を打ち出しているのは、大学を取り巻く環境がグローバル化しているからである。私が東北大学に赴任した1992年ごろは日本の大学を取り巻く環境は今ほどグローバル化していなかったので、東北大学も現在ほどグローバル戦略を積極的に打ち出していなかった。しかしグローバル化が大きく進展した現代においては、世界の大学がグローバルな環境で優秀な教員と学生を確保するための競争に巻き込まれている。東北大学も例外ではない。コンティンジェンシー理論にしたがえば、東北大学を取り巻く環境がグローバル化したので、東北大学もグローバル化する必要が出てきた。このために留学生や外国人教員を増やしたりして多様性を高めるようになっている。もし東北大学が地域密着型の小規模大学だったならば、ここまで多様性を高める必要はないだろう。なぜなら地元から入学する学生に対して良質な教育を提供することが目的になるので、現実の東北大学ほど多様性を高める必要がないからである。

以上述べてきたことを復習すれば、組織や社会の多様性は無条件で望ましいわけではない。その組織や社会が置かれた環境に応じて、多様性は望ましいこともあれば望ましくないこともある。

## 第二節　多文化共生は実現可能か？

### ２－１　多文化共生の理念と現実

次に多文化共生について考察しよう。コンティンジェンシー理論によれば、多様性と同様に、ある社会にとって多文化共生が望ましいかどうかはその社会を取り巻く環境による。ここでは議論をさらに進めて、多文化共生が望ましいとして、それが実現可能かどうかを検討する。なぜなら、あることが望ましいということとそれが実現しているということは別の話だからである。

１つの例から始めよう。図１はアメリカのデトロイト市の地図である（色付きの図は「口絵１」参照）。ここにアメリカの大都市における典型的な棲み分けないしは居住分離（residential segregation）を見ることができる。市の中心街（ダウンタウン）にはアフリカ系アメリカ人が集住し、その一部にヒスパニック系が集中し、白人は郊外に住んでいる。

図１　アメリカ・デトロイト市の棲み分けパターン
赤：白人　青：アフリカ系アメリカ人　緑：アジア系　黄：ヒスパニック系　灰：その他
https://production-tcf.imgix.net/app/uploads/2019/06/21115913/michigan_redlining.png
（2019年11月7日取得）

もう１つの例としてシカゴ市の居住パターンを見てみよう（図２：色付きの図は「口絵２」参照）。私は1992年夏から２年間シカゴに住んでいたので、デトロイト市よりも棲み分けについて肌感覚で理解している。地図のLoopというところがシカゴ市の中心街である。Loopというのは、高架鉄道が中心街をループ状に走っていることから付けられた名称である

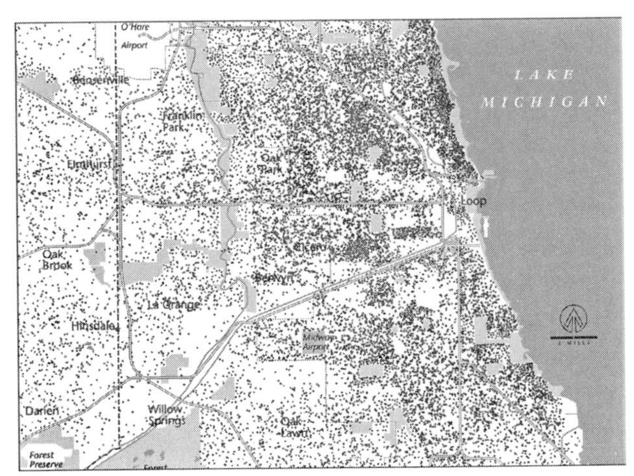


図２　アメリカ・シカゴ市の棲み分けパターン
青：白人　緑：アフリカ系アメリカ人　ピンク：ヒスパニック系　黄：アジア系
http://www.encyclopedia.chicagohistory.org/pages/1762.html
（2020年８月29日取得）

図３　シカゴ市中心街を走る高架鉄道
（著者撮影）

(図3)。Loopからミシガン湖岸に沿って北に向かっては白人が集中している。一方Loopから南側にはアフリカ系アメリカ人が集住している。Loopから少し南西に行ったところにアジア系が集中している地域がある。チャイナタウンである。他にもLittle Villageというメキシコ人街やLittle Italyというイタリア人街などのエスニック・タウンがある。このようにエスニック・グループごとに棲み分けが起こっている。

ここで重要なことはデトロイト市でもシカゴ市でも多文化共生が実現しているということである。異なる文化を持ったエスニック・グループや人種が同じ市に住んでいるという意味で、多文化共生が実現している。しかし国や地方自治体が推進しようとしている多文化共生の理念とは少し違う。たとえば仙台市の仙台多文化共生センターは2019年6月に開設されたが、その記者会見での発表では仙台市長が「国籍や民族等の異なる人々が互いの文化の違いを認め合いながら、地域社会の一員として、ともに安心して暮らしていくことができる社会づくりを目指して、今後とも取り組みの促進を図ってまいりたいと考えております」と発言している(註4)。この違いはどこから生じるのか。この疑問については後で検討することにして、そもそもなぜこのような棲み分けが生じるのか考察しよう。

## 2－2　棲み分けが生じる理由

すぐに思いつくのは、マジョリティがマイノリティに対する差別を行うことで棲み分けが起きる、ということである。確かにそのようなこともあるだろう。しかしノーベル経済学賞を受賞したThomas Schelling (Schelling, 1971) は全く異なる棲み分けのモデルを提起した。彼のモデルの概略は次のようになる。(1) 社会には2種類の人種の人々がいる。(2) 自分の周囲にいる同じ人種の人々の割合が5割以上ならば、同じ場所に留まる。(3) しかしその割合が5割以下ならば、近くの別の場所に引っ越す。言い換えれば、自分が多数派ならば留まり、少数派ならば引っ越すというモデルである。彼のモデルの興味深い点は、このような単純なモデルで

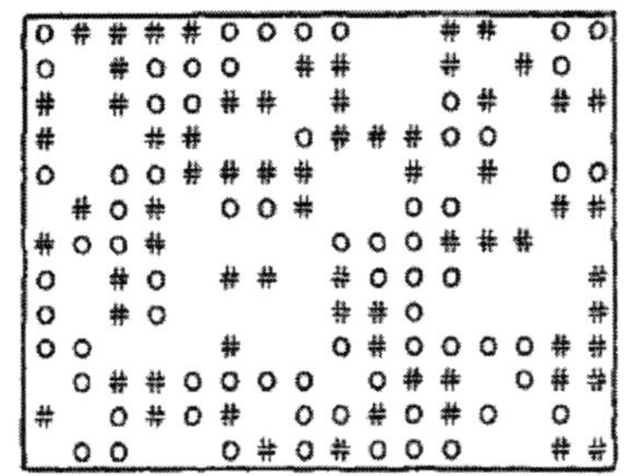
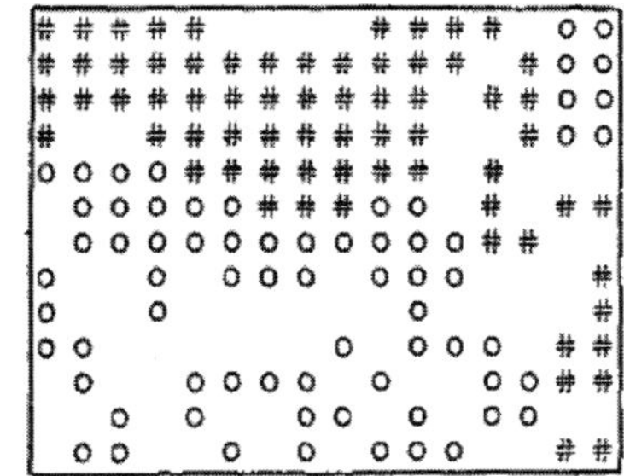

**図４　棲み分けモデルの初期状態（左側）と均衡状態（右側）**
出典：Schelling（1971: 155, Fig. 7, 157, Fig. 8）

ありながら、人々が差別意識を持っていなくても、周囲で多数派になりたいという選好を持っているだけで、２種類の人種の間に棲み分けが生じる、ということである。図４の左側の図がモデルの初期状態である。○と♯が人種を表している。初期状態では２種類の人種はランダムに住んでいる。このモデルを上のルールに従って動かしていくと、それ以上は人々が引っ越さない均衡状態が生じる。図４の右側の図はそのような均衡状態の１つである。２種類の人種の間で明確な棲み分けが生じていることが分かる。彼の研究は大きなインパクトがあり、多くの研究者が彼のモデルを出発点としてさまざまなモデルを提唱している。

それではなぜ人々は周囲で多数派ならば留まり、少数派ならば引っ越すのだろうか。１つの理由は、自分と同じような人々に囲まれて暮らしたいという心理的なものだろう。心理学や社会学で用いられる概念に同類原理というものがある。簡単に言えば、人は自分と同じような人と付き合う、というものである。それは趣味の場合もあれば、性別の場合もある。学歴の場合もあれば、職業の場合もある。そしてここでは、人種やエスニシティということになる。人は自分と同じ人種やエスニシティの人々に囲まれて暮らすと、安心感のような心理的満足を得ると考えられる。

しかし人々はより実利的な便益を求めて同じ人種やエスニシティの人々

図5　サンフランシスコのチャイナタウン
https://topic.hakutou.co.jp/seichi/wp-content/uploads/sites/2/2015/05/grantavenue.jpg
（2019年11月7日取得）

と一緒に暮らすこともある。たとえば、新しく中国からサンフランシスコのチャイナタウン（図5）に移住してきた移民のことを考えてみよう（註5）。まだ英語も得意ではなくアメリカ社会のしきたりも分からない移民にとって、チャイナタウンで生活することでさまざまな便益を得ることができる。日常の買い物も中国語でできるし、病気になって医師にかかるときも中国語で症状を説明できる。またチャイナタウンの人的なつながりを活用して仕事を紹介してもらうこともあるだろう。

しかしチャイナタウンに住み続けると、生活や仕事がその中で完結してしまうので、外の世界との接触があまりなくなる可能性がある。このことを一般化すれば、チャイナタウンに限らず、エスニック・タウンに住む人々とその周りの人々との交流はあまりない可能性がある。しかし同じアメリカに住んでいるので、多文化共生といえるだろう。

このようなことは日本でも起こっている。私は2007年10月に放送大学授業科目『社会階層と不平等』（原・大渕・佐藤、2008）の制作のために愛知県豊田市保見団地を訪問したことがある。この団地にはトヨタの下請け工場で働く日系ブラジル人が多く住んでいたので、彼ら・彼女らにインタビューするためである。1990年に「出入国管理及び難民認定法」が改正されてから多くの日系ブラジル人が日本で働くようになったが、保見団地でもその頃から日系ブラジル人が多く住むようになった。しかし生活習慣の違いから、日本人住民との間に摩擦が生じていた。

そして1990年6月には両者の間に緊張が走った。朝日新聞1999年6月8日朝刊記事「外国人排除を叫ぶ　豊田の保見団地で右翼・暴走族集まり【名古屋】」によると、原因は分からないが、同年5月31日夜に保見団地内で外国人（著者注：大半は日系ブラジル人だろう）と日本人が集団で睨みあう事態が発生した。そして翌6月の5日には右翼団体の街宣車と約50台のバイクに乗った暴走族が団地にやってきて「ブラジル人は出てこい」と挑発行為を行った。そして翌日の6日には団地近くで街宣車の1台が焼けた。さらに7日には4台の街宣車がやってきて「不良外国人は出ていけ」などと叫んで、1時間ほど外周道路を走った。

この事態の後は、日系ブラジル人やその子弟を支援するNPOなどの活動や自治体・警察の努力により、日系ブラジル人と日本人住民は落ち着いた関係になっていった。私が保見団地を訪問したのはそのような時だった。しかし団地近辺のブラジル料理店には日系ブラジル人しかいなかったし、ブラジルの食材が豊富にあるスーパーマーケットも日系ブラジル人しか見かけなかった（図6）。同じ団地に住んでいるという点では多文

図6　保見団地近くのスーパーマーケット
http://toyota-international.com/foxmart/
（2019年11月7日取得）

化共生が実現している。しかし日系ブラジル人と日本人住民の間では生活圏が分離している。

## 第三節　橋渡し型ソーシャル・キャピタルの重要性

### 3－1　ソーシャル・キャピタルとは何か？

前節で見たように、多文化共生の理念と現実は異なっている。それでは現実を理念に近づけることはできるのだろうか。私は橋渡し型ソーシャル・キャピタルを構築することでこのことが可能だと考える。この主張をするために、まずソーシャル・キャピタルの説明から始めよう。

ソーシャル・キャピタルは簡単に言えば人間関係（社会学では「社会ネットワーク」と呼ぶ）である[註6]。ただしキャピタル（資本）という言葉が使われている。これは社会ネットワークがその中にいる人々にプラスの影響をもたらすことを示すためである。このプラスの影響についてはさまざまな研究がある。転職に有利だという研究もあれば（Granovetter、1973)、昇進に有利だという研究もある（Lin, Ensel, and Vaughn, 1981)。また人々の健康を促進するという研究もある（Kawachi, Subramanian, and Kim., 2008)。ただし後で述べるようにマイナスの効果をもたらす場合もありうることに注意する必要がある。

ソーシャル・キャピタルの分類についてはさまざまな提案がなされているが、ここでは結束型ソーシャル・キャピタルと橋渡し型ソーシャル・キャピタルという分類が重要である。結束型ソーシャル・キャピタルは、比較的同質の人々が強く結びついた社会ネットワークを基にしたものである。家族や職場の同僚、親しい友人のような社会ネットワークが典型例である。これに対して、橋渡し型ソーシャル・キャピタルは、比較的異質な人々がゆるやかに結びついた社会ネットワークを基にしたものである。パーティで知り合った人やたまにしか会わない友人のような社会ネットワークが典型例である。

両者の関係は図7のようなイメージで捉えることができる。Aさんは左側の結束型ソーシャル・キャピタルに埋め込まれていて、Bさんは右側の

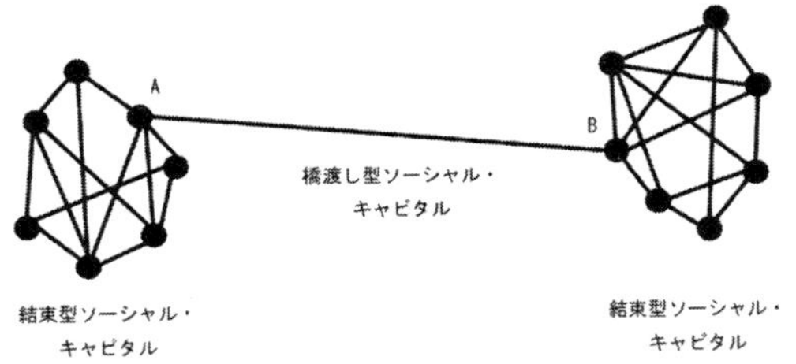


**図7　結束型ソーシャル・キャピタルと橋渡し型ソーシャル・キャピタルのイメージ**
（黒丸は人間を、線と人間関係を表している）
出典：佐藤（2020: 65, 図1）を改変

結束型ソーシャル・キャピタルに埋め込まれている。それぞれの結束型ソーシャル・キャピタルは家族や職場、町内会や自治会、学校のような同質的でよく顔を合わせる集団や組織である。AさんとBさんが知り合いでなければ、2つの集団・組織はつながらない。しかしAさんとBさんが知り合いならば、2人は橋渡し型ソーシャル・キャピタルを構築していて、2つの集団・組織をつなぐ機能を担うことになる。

それぞれのタイプにはメリット、デメリットがある。結束型ソーシャル・キャピタルは、上述のサンフランシスコのチャイナタウンのように、社会ネットワークに埋め込まれている人々にさまざまな便益を提供する。またお互いに裏切られる可能性が低いので相互協力が実現しやすい。このことについてソーシャル・キャピタル研究の第一人者だったColeman（1988）は次のような興味深い事例を紹介している。ニューヨークのダイヤモンド卸市場では、売買の際にダイヤモンドの品質チェックのために、ダイヤモンド商人Aは別の商人Bにダイヤモンドが入った袋を渡す。商人Bは後で時間のある時に受け取ったダイヤモンドの品質をチェックして商人Aに返す。この時に商人Bは質の悪いダイヤモンドや偽物に差し替えることもできる。しかし商人Aは何の保険もかけずに商人Bにダイヤモンドの袋を渡している。なぜ商人Aは商人Bを信頼することができるのか。それは商人たちがユダヤ系であり、内部での結婚の頻度が高く、ニューヨークのブルックリン地区の同じコミュニティに住み、同じシナゴーグ（ユダヤ教の会堂）に通っているからである。言い換えれば、結束的ソーシャル・キャピタルを構築しているからである。このため、商人Aは商人Bが裏切ることはないだろうと安心してダイヤモンドの袋を渡すことができる。

日本でも、結束型ソーシャル・キャピタルがプラスの効果を示す例は多い。たとえば、東日本大震災の時に被災地の東北地方では大きな暴動が起こることなく、人々はスーパーマーケットでの買い物のために長蛇の列に並ぶなど秩序だった行動が見られた（図8）。私はこれが人々の間の結束型ソーシャル・キャピタルの影響によるものだと考える。人々の間で結束型ソーシャル・キャピタルがあったために、人々は相互に協力する状況を作り出せたのだろう。

大学生にとって身近な例では、研究室仲間やサークル仲間の社会ネットワークをあげることができる。研究室では、同じ興味を持った学生がしょっちゅう顔を合わせていて、サークルが学園祭で模擬店を出すような時はお互いに協力し合う。

しかし結束型ソーシャル・キャピタルにはいろいろなデメリットもある。本章の文脈でもっとも重要なデメリットは、社会ネットワークの内

図８　東日本大震災後に仙台のスーパーマーケット前で並ぶ人々
https://recorder311.smt.jp/wp-content/uploads/81a2f2f95ea240d5075f855631fa846a.jpg
（2020年９月５日閲覧）

部での結束が強いあまり、外部の人を排除するというものである。典型例はやくざの抗争である。やくざはその構成員の結束の強さで知られている。結束型ソーシャル・キャピタルの典型例の1つである。しかしこのため、2つのやくざ組織の間では協力関係よりも対立関係が生じやすい。それが極端になると、お互いに攻撃しあう抗争にエスカレートする。

災害復興研究の第一人者であるAldrich（2012＝2015）は、2005年にアメリカ・ニューオリンズを襲ったハリケーン・カトリーナからの復興過程を分析している。彼の分析によれば、ニューオリンズの多くの地域が被災者のための仮設住宅や連邦緊急事態管理庁のトレーラーハウス（住宅として使えるトレーラー）が必要であることは認識していたが、それらが設置されたのは結束型ソーシャル・キャピタルが弱い地域だった。この分析結果に基づいて、彼は、設置責任者が結束型ソーシャル・キャピタルの強い地域では強い反発があると考えた可能性がある、と述べている。この例は、ある地域の結束型ソーシャル・キャピタルが強すぎると外部の人間を排除することがあることを示している。

橋渡し型ソーシャル・キャピタルは、逆に異なる集団をつなげる機能を持つ。これは橋渡し型ソーシャル・キャピタルのプラスの効果である。たとえば、松井（2012）は2007年7月に発生した中越沖地震の際の橋渡し型ソーシャル・キャピタルに関する興味深い事例を紹介している。地震発生後にボランティアが直接被災者の家を訪問して支援を申し出た。しかし被災者の方は県外から来た見知らぬ他人を家に入れることに抵抗感があった。しかし、町内会の副会長などの役員がボランティアを被災者の家に案内していくことで、ボランティアは受け入れられるようになった。この事例では、町内会の役員が被災者とボランティアをつなぐ橋渡し型ソーシャル・キャピタルとして機能していたことになる。

もちろん橋渡し型ソーシャル・キャピタルにもマイナスの効果がある。橋渡し型ソーシャル・キャピタルは結束型ソーシャル・キャピタルと違って異質な人々のゆるやかなつながりに基づいているので、フリーライダーなどが生じて相互協力が実現しないことがある。

### 3－2　多文化共生のための橋渡し型ソーシャル・キャピタル

さて、以上のソーシャル・キャピタルに関する理論を用いて多文化共生の問題を考察することにしよう。理想としての多文化共生とは異なり、現実の多文化共生はマイノリティとマジョリティが分離して、互いに無干渉になる傾向にある。「あなたたちはあなたたち、私たちは私たち、同じ社会に住んでいるけれど、お互いに干渉するのはやめましょう」といった感じである。または保見団地のように両者で摩擦が起きることもある。さらにマイノリティ間で摩擦が生じることもある。1992年に起こったロサンゼルス暴動はその典型例である[註7]。1991年3月にロサンゼルス市警の警官がスピード違反容疑のアフリカ系アメリカ人に暴行を加えたことが事の発端だった。警官たちは起訴されるが、翌年4月に陪審無罪評決を受けた。このことに不満を持った人々——とりわけアフリカ系アメリカ人——は抗議行動を起こし、暴動にまで発展した。そしてロサンゼルス市警とは関係ない韓国人街までも暴動の標的となった。もともとアフリカ系アメリカ人と韓国系市民の間では相互不信感が募っていたが、無罪評決がきっかけとなって韓国系市民への攻撃が勃発した。

それでは現実の多文化共生を理想に近づけるためにはどうすればよいのだろうか。私は橋渡し型ソーシャル・キャピタルがその機能を果たすと考える。イギリスの事例を紹介しよう（安達、2013）。イギリスもかつては移民に対して多文化主義政策を行ってきた[註8]。しかし2005年7月7日のイスラム過激派によるロンドン同時爆破テロ（図9）によって、この政策の見直しを余儀なくされた。その背景に、イスラム教徒の移民が特定の地域に集住してマジョリティと交流しなかったため過激な思想がはぐくまれた、という分析がなされたことがある。これに対応するかのように、移民政策が多文化主義からコミュニティの結束（community cohesion）に変化した（Cantle, 2005)。この政策は、同じコミュニティに住む移民とマジョリティを結び付けて交流させることで、移民の孤立化を防ぐものである。

このコミュニティの結束政策はかつての同化政策とは異なる。簡単に

図９　ロンドン同時爆破テロの光景
https://hacienda.exblog.jp/3086666/
（2020 年９月４日取得）

言えば、同化政策とは、移民がホスト国の言葉を話し文化を身に着けることで、ホスト国の国民と同じようになる、というものである。移民をホスト国に「同化」させるという政策である。しかしこれでは移民が自らの文化やアイデンティティを失ってしまうという批判が生じ、多文化主義という考え方が提唱されるようになった。しかし多文化主義には上に述べた問題がある。それを乗り越えようとするコミュニティの結束政策は、移民のアイデンティティや文化を尊重しつつコミュニティの一員になることを促進するものである。

この政策の理論的研究と実践を行っているのが、2005 年にコベントリー大学、レスター大学、デ・モンフォート大学、ウォーリック大学という４つの大学の協力によりイギリス・コベントリーに設立された「コミュニティの結束研究所」である（Cantle、2005; 安達、2013）。この研究所ではコミュニティの結束を促進する活動を行っている団体に賞を与えている。安達（2013）はその団体の１つである FolesHillFields Vision Project（略称：FVP）の参与観察を行った。ここでは本章の文脈に沿って、彼の知見を紹介しよう。

FVP はコベントリーのフォールズヒル地区とセイント・ミッシェル地区

を拠点として活動している。両地区とも非白人系人口の割合が高い。2011年時点でフォールズヒル地区では69.4%、セイント・ミッシェル地区では49.2%である。FVPの目的は次のようになっている。

> 「私たちの目的は、コミュニティの間にしっかりとした橋を打ち立てることにより、近隣や地域の人々を支援し、コミュニティへの参加と社会的包摂を促進し、ローカルな、そしてインターナショナルな友情、平和、協力を発展させることにある。私たちは、地域の異なるコミュニティの人々と共に活動し、意見を聞き、グローバルな視点から、差異や共通性の理解を発展させている。私たちは、友好的で、暖かく、歓迎的な様々なやり方で、人々を支援し、その自信を生み出し、家族、コミュニティ、そして近隣における参加やリーダーシップを促進する。」（安達、2013：269）

この目的のためにFVPは、女性だけが集まる「ウィメンズ・ランチ」、FVPのオフィスが入る建物の広場の庭で植物を植える「ガーデニング」、地域の多様性を理解し祝福するために年に1回行われる「グローバル・シティズンシップ」などの活動をしている。これらの活動を通じて、FVPはマジョリティとマイノリティの間、また異なるマイノリティの間の橋渡し型ソーシャル・キャピタルを構築している。

日本でも橋渡し型ソーシャル・キャピタルがこのようにマイノリティとマジョリティを結びつけている。上述した保見団地の例に戻ろう。ここでも保見ケ丘国際交流センターというNPO法人が日系ブラジル人と地元日本人を結びつける活動をしている[(註9)]。保見ケ丘国際交流センターは保見団地の集会所に位置し、センターのウェブサイトによると、センターの目的は「広く地域社会に対して、地域に根ざした国際交流と、多文化共生の地域づくりに関する事業を行い、多国籍住民の文化の相互理解と福祉の向上を推進する」ことである。そして日本語教室やポルトガル語による生活相談などの活動をしている。センターはFVPと同じよう

に保見団地における橋渡し型ソーシャル・キャピタルを構築している

また私が保見団地を訪問した時に訪ねた小学校では、ボランティアが放課後に日系ブラジル人の子どもたちに日本語を教えていた。これも橋渡し型ソーシャル・キャピタルの構築に貢献すると考えられる。

このように、現実の多文化共生は放っておくとマイノリティとマジョリティがあたかもパラレル・ワールドのように並列して生活しているだけになる。しかし両者をつなぐ人々や団体がいたら、どうだろうか。すべてのケースでうまくいく保証はないが、そういう人々や団体が橋渡し型ソーシャル・キャピタルとして機能して、マイノリティとマジョリティがつながる可能性がある。

## おわりに　――健全な懐疑主義の必要性――

本章では2つの問いを立てた。第1は、多様性が望ましいことかどうかという問いである。第2は、多文化共生が実現可能かという問いである。最後に、このような問いを立ててそれに対する解答を探求する意義について考える。

本章の初めに「多様性」や「多文化共生」が耳障りのいい言葉だと述べた。あえてこのような挑発的な表現をしたのには理由がある。私たちは耳障りのいい言葉を聞くと無批判にそれを受け入れてしまう危険があるからである。多様性も多文化共生も何の批判の余地もないような考え方である。しかしそのような考え方を無批判に受け入れる態度は時として危険なこともある。第２次世界大戦の頃の「大東亜協栄圏」や「鬼畜米英」、「欲しがりません勝つまでは」、「ぜいたくは敵だ！」などの言葉を（もちろん批判者もいたが）多くの人々が受け入れたために、日本は悲惨な敗戦を迎えることになった。現代から見れば、なぜそのようなことが起きたのか不思議だと思うかもしれないが、限られた情報によって構築された当時の人々の社会観や世界観のもとではこれらの言葉は自然と受け入れられたことだろう。

しかもこれは昔だけのことではない。コロナ禍の日本社会では、「マスク着用」、「3密回避」、「ソーシャル・ディスタンス」という言葉が人々に受け入れられている。しかもこれらを受け入れない行動を取る人々に対していわゆる自粛警察が社会的制裁を加えたりしている。

別に私はこれらの言葉が無意味だと言っているわけではない。私が主張したいのは、「専門家が言っているから」とか「政府が言っているから」という理由でこれらの言葉を受け入れるのではなく、自分で「なぜマスクを着用しなければならないのか」、「なぜ3密を回避しなければならないのか」、「なぜソーシャル・ディスタンスを保たなければならないのか」という問いを立てて、自ら情報を集め、自分で考えて受け入れるかどうか判断すべきだ、ということである。

このような態度は健全な懐疑主義と呼ばれている。この概念については哲学史上の長い議論があるが、ここではそれを検討する必要はない。重要なことは、この健全な懐疑主義を身に着けることである。本書は東北大学教養教育院叢書「大学と教養」の中の1つの巻である。大学において教養を学ぶということは、単に基礎的な知識を身に着けることではない。そうではなく、健全な懐疑主義を持った、自律した個人になることである。そういった人々が増え、社会の中で活躍することで、社会は良い方向に向かうだろう。

ただしこれは私の主張である。健全な懐疑主義を持った読者は、私の言うことが本当に正しいのかどうか自分の頭でよく考えてほしい。

## 【参考文献】

安達智史 .2013.『リベラル・ナショナリズムと多文化主義――イギリスの社会統合とムスリム』勁草書房 .

Aldrich, Daniel P. 2012. Building Resilience: Social Capital in Post-Disaster Recovery University of Chicago Press.（＝石田祐・藤澤由和訳『災害復興におけるソーシャル・キャピタルの役割とは何か――地域再建とレジリエンスの構築』ミネルヴァ書房 .）

Cantle, Ted. 2005. *Community Cohesion: A New Framework for Race and Diversity* Palgrave Macmillan.

Coleman, James S. 1988. "Social Capital in the Creation of Human Capital." *American Journal*

*of Sociology* 94 (Supplement) : S95-S120.
Granovetter, Mark S. 1973. "The Strength of Weak Ties." *American Journal of Sociology* 78 (6) : 1360-1380.
原純輔・大渕憲二・佐藤嘉倫 . 2008.『社会階層と不平等』放送大学教育振興会 .
Hunt, Vivian, Dennis Layton, and Sara Prince, 2005. "Why Diversity Matters." (https://www.mckinsey.com/~/media/McKinsey/Business % 20Functions/Organization/Our % 20Insights/Why% 20diversity% 20matters/Why% 20diversity% 20matters.pdf 2020 年 9 月 4 日取得)
稲葉陽二. 2011.『ソーシャル・キャピタル入門――孤立から絆へ』中央公論新社 .
加護野忠男. 1981.「コンティンジェンシー理論」安田三郎・塩原勉・富永健一・吉田民人（編）『基礎社会学　第Ⅲ巻　社会集団』東洋経済新報社 .
Kawachi, Ichiro, S. V. Subramanian, and Daniel Kim (eds.). 2008. Social Capital and Health Springer.
Lin Nan, Walter M. Ensel, and John C. Vaughn. 1981. "Social Resources and Strength of Ties: Structural Factors in Occupational Status Attainment." *American Sociological Review* 46 (4): 393–405.
松井克浩 . 2012.「防災コミュニティと町内会」吉原直樹（編）『防災の社会学――防災コミュニティの社会設計に向けて〔第二版〕』東信堂 .
崔学林 . 2002.「経営組織の環境適応と競争組織論――文献の展望と研究課題」『現代社会文化研究』23: 165-182.
Sato, Yoshimichi. 2013. "Social Capital." *Sociopedia.isa.* (https://sociopedia.isaportal.org/resources/resource/social-capital/ 2020 年 9 月 4 日閲覧)
佐藤嘉倫 . 2020.「しがらみから自由になる――橋渡し型ソーシャル・キャピタルのすすめ」京都先端科学大学人間文化学会（編）『自由になるための人文学』京都先端科学大学 .
Schelling, Thomas C. 1971. "Dynamic Models of Segregation." *Journal of Mathematical Sociology* 1 (2) : 143-186.

## 【註】

1）これらの引用は調査報告を紹介している次のウェブサイトから直接引用したものである。https://sustainablejapan.jp/2015/02/05/mckinsey-diversity/13747（2020 年 9 月 5 日閲覧)。
2）ただしこの調査報告は、両者の間に相関があることを明示しているが、多様性がパフォーマンスを高めるという因果関係があるかどうかについては慎重な態度を示している。
3）国際共同大学院プログラムについては https://www.insc.tohoku.ac.jp/japanese/studyabroad/graduate/ijgp/ を、グローバル・リーダー・プログラムについては https://www.insc.tohoku.ac.jp/japanese/global/about/

を参照されたい。（どちらも 2020 年 8 月 29 日閲覧）

4）市長記者会見の記録は
https://www.city.sendai.jp/sesakukoho/gaiyo/shichoshitsu/kaiken/2019/05/14kyosei1.html で見ることができる。（2020 年 8 月 29 日閲覧）

5）この移民の仮想例は Portes and Sensenbrenner（1993）の議論を踏まえたものである。

6）ソーシャル・キャピタル概念については稲葉（2011）や Sato（2013）を参照されたい。

7）ロサンゼルス暴動については朝子新聞 1991 年 3 月 23 日朝刊の記事「白人警官、集団暴行　無抵抗の黒人大けが　ロサンゼルス」と 1992 年 5 月 2 日朝刊の記事「焼かないでくれ　韓国系商店、暴徒の略奪厳戒　ロス暴動」を参考にした。

8）多文化共生と多文化主義は概念的に微妙に異なるが、ここではその差異は無視することにする。

9）保見ケ丘国際交流センターについては http://homigaoka.jp/ を参照されたい（2020 年 9 月 11 日閲覧）

# 第三章　多様性と主体　——自分らしくあるために

Tout est un, tout est divers. (*Pascal, Pensées*) (註1)

座小田　豊

## はじめに

かつて、といっても50年ほど前までの私たち日本人は、空間的にも時間的にも限られた領域のなかで、たとえば一つの村や町のなかで生まれ、育ち、生活し、そして亡くなっていっていた。地縁的な、もしくは血縁的な共同体のなかで、現代に比べるなら、ある意味、一見単一で「モノクローム」な一生を送っていたように思われる。乏しい生活物資のなかで暮らしていた私たちの周りには、少なくとも第二次世界大戦の敗戦の時までは、いわゆる「外国」や「外国人」の気配などほとんど存在せず、また他郷の人々の姿さえも、都会といわれる地域以外では稀であったと言っていいだろう。もちろん、日本人の祖先である、渡来してきたと言われる縄文人や弥生人がそうであったように、周囲を海に囲まれた国のことゆえ、様々な国人たちが、それぞれに固有な事情を抱えながらしばしば漂着してきていたであろうことは想像に難くない。とはいえ、彼らもまたやがては地域共同体の絆のなかか、あるいはその周辺に、何らかの形でその位置を確保し、この国郷に融け入っていったことであろう。

それに比して、今日の私たちは、おびただしい人や物で溢れかえった、複雑で雑多な、言ってみれば昏迷した、いわゆるグローバルな情報社会のなかに生きている。そこには、多様性に彩られた、これまた一見すると、なるほど多彩で豊かな暮らしが存在するかのように見える。だがしかし他面からするとそれは、虚飾に満ち溢れた、ほとんど自分を見失ってしまいそうな、それゆえ、ヒトを拒絶する、ある意味却って空虚な空間と時間の生活なのかもしれない。

いずれが、自分らしく生きるのに適った場所であり、そして時であるのか、という問いがすぐさま浮かんでくる。もちろんその問いが重要であることは言うまでもないが、すでに後者のグローバルな、したがって、いわゆる多様性に満ちみちた現在社会のなかに生を受け過ごしている私たちにとっては、両者を比較しつつも、この現実のなかでどのように過ごせば、そしてどう考えれば、自分らしく生きることになるのか、が問題になろう。これが、すなわち「多様性と主体」への問いとなる。多種・多様な条件の環境のなかで、いかにして自分らしく、いや自分を失わずに、主体性を維持できるのか、ということである。それゆえ、それはまた、実は「ヒトの幸せとは何か」と尋ねる問いにほかならないであろう。「自分らしく」とは、自分自身の在り処を、居場所を、言ってみればおのれの「真秀呂場（まほろば）」を確保することであるはずだからである。そして煎じ詰めれば、それが、ヒトがヒトとして幸せに暮らすには何が大切なのかを訊ねるという、「教養」の問題に通じていくことは必然だと思われる（註2）。

小論は、第一節で「主体」の意義を、第二節では「多様性」の意味をそれぞれに問い、第三節で両概念の必然的な結びつきを「ふるさと」という概念を導きに明らかにし、そして第四節において主体がもちうる「教養」の在り方を、多様性との関係から考えることにする。

## 第一節　「主体」とは？

まず、「主体」について振り返っておこう。「主体」あるいは「主体性」、よく使われる概念である。多くの人のなかに埋没することなく、私たち一人ひとりが自らの個人的特性を発揮して自立的な思考を行使し、また独立に行動するとき、「主体」そして「主体性」がある、とみなされる。ヨーロッパ諸語の subject（英）：sujet（仏）：Subjekt（独）は、共通の語 subjectus（ラテン語）（基に置かれてあること）を語源としている。今日では文法的に「主語」を意味する語であるが、これを例にとって、差しあたって大雑把に言っておくなら、「私は私である」の主語と述語の同一性を、どこまで保持できるのかということで「主体」の重さが計られると言ってよいだろう。私たちはともすれば、他者や多者の意見に付和雷同して右往左往しがちである。その時「私は私」とどこまで主張できるのかは、誰もが経験するように、決して簡単なことではない。そればかりではない。その「私」を適切につかむことは、それよりもなお一層難しい。「私」を過大に見積もっても、過小に評価しても、自分で足を絡ませて転んでしまいそうである。ではどうすればよいのだろうか。

支えてくれる何かがあればよいのではないだろうか。実のところ、「私は私」の自己同一性を確認するには、いや同一性を確保するには、何よりもまず「私」を意識することが大切だとされてきた。西洋近代の哲学者デカルトの「私は考えている、だからこそ私は存在する cogito, ergo sum」という、いわゆるコギトの命題は良く知られている。世界の不確かさを前にして不安に陥った青年が、この世界で一体何が確実なのかと問いかけ、答えを見出せず却って疑念が自らを苛む図を想像してみる。或るものや事柄の確実性を求めるということは、なぜそれがそうであるのか、そのものや事柄が成り立つ理由や根拠・原因を明らかにするということである。ところが、疑念に囚われた青年にしてみれば、すべては疑わしい、なぜなら、疑念を差し向けるそれが何であれ、その根拠にまでたどり着くのは至難の業だからである。根拠の根拠がさらに問われるとすれば、これはもう無限後退の「悪無限」、その解決はほとんど不可能だと思われたりもしよう。

疑念に翻弄される者は、悩むことに悩む、ただひたすら悩み続けるという悪循環に陥ることだろう。「悩み、考えている私は存在する」というデカルトの解決法は、あまりに明快すぎて、悩む者にとってはある種の違和感が残る。その「存在」の理由・根拠は、なお明らかではないからである。「私があること」が先なのか、「私が考えること」が先なのか、が問題なのではない。なるほどデカルトの言うように「考えること」が先であって、「考えている間だけ私は存在する」のだと言われたとしても、

「考えること」の根拠は、なお分明になってはいない。本当に「私が」考えていると、どうして、他ならぬこの「私」が確証できるというのか。誰もそこまでの疑念を抱いたりはせずに、その前で立ち止まって、「私が考えている」ことが私自身に意識されているからだと、言うだろうか。多分そうだろう。しかし、なぜ「私は考え（てい）る」と言えるのか。

デカルトの出発点を想い起してみよう。『方法序説』において彼は、確実なものを求めて、疑わしいと思われる一切を排除していくという、あの「方法的懐疑」の道を採ったのであった。つまり、彼には、「確実なもの」が存在することが、あらかじめ確信されていたように思われる。『省察』の議論を辿ってみても、絶対的な第一の原因・根拠が、確かに想定されている。「私が考える」が第一の原因であるはずであり、もしもそうでなくても、さらにそれに先立つ、それ以上遡ることができない第一の原因――たとえば、絶対的な確実性・真理、あるいは神――が存在する、というわけである。これは哲学史的には古代ギリシアのアリストテレスに淵源する、根拠を探究する際の基本的な前提であるが、なぜ「私は考え（てい）る」のか、と問う者にとって、これでは答えにならないように思われよう。というのも、絶対的な第一原因者を想定しなければならないし、想定するべきなのだと言われても、それではあの問いの答えになってはいないはずだからである。

おそらく、この問いは「考え（てい）る私」だけのこととして論じても、出口は見えてこないだろう。明らかに堂々巡りに終始するばかりである。つまり、「主体」の問題は、個別「私」のなかだけでは、論じつくせない、ということである。

「私は私！」がどのような場面で問題になるのか、改めて考えてみてはどうだろうか。そもそも「主体」を、個別的な、「窓をもたないモナド」とみなす、つまり「閉じた主体」とみなすところに、大きな陥穽が潜んでいたと見るべきではないのか。

主体は他者との関係性において捉えられなければならない――いささか唐突に聞こえるかもしれないが、これは、「主体」の問題を考える上で看過できないことである。その理由はほかでもない。主体、あるいは主体性ということで、通常われわれは、他から切り離された主観のことをまず考えるだろう。他とは無関係な、いや必要とさえしない、極点としての主観、——自己保存を個体性の原理とみなし、自己根拠づけを探る西洋近代の人間理解からすれば、至極当然とみられるこうした見方は、基本的に正しいのだろう。しかし、「私の唯一性」は、それを確認するのが——他者がそれを追認する場合があるとしても、最終的にはやはり——ほかならぬこの私であることからして、自明のことであるとしても、その中身、唯一であるとはどういうことなのか、その内実が問われなくてはならない。この唯一性は、他との無関係性とけっして同じではない。他者と無関係であるということ自体厳密には成立しえないし、それが意識される場合であっても、他者との関係においてのことでしかないように思われる。「私の唯一性」は、むしろ、他者とのかかわりのなかでこそ、はじめて確認されるものとなるのではないか。他者から「隔絶した私」も他者との関係において意識されるからである。ことは、主体である私と、他者、広くは私の周囲のすべての他者、すなわち、総じて「環境environment」（私たちを取り囲むものたち）との、したがって多様性との関わりの問いに収斂しそうである。それに先立って、多様性の意味についても考察しておくことにしたい。

## 第二節　多様性と私——環境のなかの私

多様性は英語でdiversityというが、これはもともとラテン語のdis-versus（反対の方向へ）を語源とするdiversus（形容詞）に由来する。versusはvs.と略されて、西洋では現代語としても広く使われている、「〜に対して：〜に相対して」という意味の前置詞である。それにdis-という不分離接頭辞が結びついて分離の意味を強めたのがdiversusで、これは「背いた、まったく異なった、矛盾した、ばらばらの、etc.」の意味をもつ。これがdiversityの語源である（註3）。

してみると、「多様性」は「主体」に対して、異なる「他者」として立ち現れるものの在り方一般を指すということになろう。もちろん、「主体」に対して立ち現れるこの「他者」は、ひとりの人に限らない。人に限ることもできない。彼（女）を取り囲んでいるすべてのものが、彼（女）に対して versus いるものとして、多種多様に現われるだろう。「私」以外のありとあらゆるものが、たとえば、「私」の意識の持ちようによって、つまり私が何に（かつ、同時に何が私に）対して versus いると意識されるのかという、その意識の在りようによって、身の回りの自然はもちろん、世界や宇宙全体も含まれるようになるだろう。ごく狭い領域を自分の環境と見る子供たちと、空間的には宇宙にさえも、時間的には過去と未来にさえも思いを馳せる天文学者たちとでは、明らかに多様性の内容も異なってくるであろう。前者と後者とでは、何といっても、自分の意識に対して現前してくるものが、違っているはずだからである。前節の終りに述べたように、この現前してくるものの総体をとりあえずは「環境 environment」と呼ぶことができるだろう。もちろん、子供と大人の、どちらの環境が良いかどうかが問題になるわけではない。多くの人はそれぞれに自らの環境を是としているであろうし、子供は大人に憧れ、大人は子供の頃の自分を限りなく愛しんだりもするからである。たとえば、詩人伊藤静雄の次のフレーズは、そのことを突き付けてくる。

　　われ等は自然の多様と変化のうちにこそ育ち
　　あゝ　歓びと意志も亦そこにあると知れ（註 4）

　私の個人的ないささかの感懐をここで差し挟んでみたい。子供の頃の私は、当時の多くの男の子がそうであったように、その時々に話題になっていた人物たちを憧れの対象にしていた。いずれもラジオから流れてくる情報に一喜一憂していた自分を想い出す。ごく小さいときには笛吹童子や紅孔雀に、小学校低学年の頃は赤胴鈴之助、そして若乃花、栃錦、若秩父らの相撲とり達に、そのすぐ後には、西鉄ライオンズの稲尾、中西、豊田、和田、高倉らが活躍していたプロ野球の世界に自分の未来を想い重ねていた。またある時は、大工さんになりたいとか、ヴァイオリンを習いたいとか、その時々の思い付きを軽々しく口にして、母親を悩ませていたようである。今のこの歳になって想い返すと、ほとんど裸で野や山を走り回り、河や池に浸かって大喜びしていた少年の頃は、どのような言葉をもってしても言い表わせないほどに豊かな広がりと深さをもって私のすべてを覆い尽くしていたようである。まさに「自然の多様と変化のうちにこそ育ち」、そこに「歓びと意志」を根づかせてくれたと思われるほどである。

もちろん、少年の私は、その後成人して私が辿って行くことになる行跡のことを、知るよしもなかったのだけれども、今の私はそのどちらについても、多様性に溢れた、「ふるさと」という名をもつ「環境」の及ぼす圧倒的な働きについて思いを新たにすることができる。

*　　　*　　　*

閑話休題。さて、経済のグローバル化が急速に進展している今、様々な場面で「多様性 diversity」が議論されている。例えば、価値や文化の多様性、生物における種の多様性、人類の民族や宗教の多様性、さらには空に輝く無限に多様な星に住む異星人の存在等々。こうした多様性はそれぞれどのような意味をもつのだろうか。維持・擁護・容認・保持といった用語で大まかには肯定的に捉えられているこの「多様性」について、改めて考えてみたいと思う。

だが、私たち人類を例に見てみれば、多様性は、様々な軋轢の原因として働いてきたように見える。それが、時として行き違いの原因となり、抗争や紛争の火種ともなってきたことは、歴史を繙いてみるまでもなく明らかであろう。異質な文化や宗教を排除しようとする私たち人間のネガティヴな性向は、至る所、あらゆる時代に顕著に見てとれるように思われる。「自国第一」を掲げるアメリカのみならず日本においても、今日移民や難民の問題が社会的・政治的な様々な困難の原因となっていることも瞭然である。そこには、自分たちの頼りない？同一性に強い帰属意識を求める人々の、他者に対する排除の論理が透けて見えるのではないか。あるいは逆に、ステレオタイプの排除の論理を用いて自分たちの同一性（自己のアイデンティティー）の意識を確認し合うという倒錯した衝動さえ見てとれそうである。もっと身近な例を挙げるなら、陰惨な形で結果的に露呈してくる「いじめ」も、脆弱な「仲間意識」という同質性に基づいて異質なものを排除しようとするところに大きな原因がありそうである。性的マイノリティーであるLGBTを「生産性」という論理で排除しようとした事件も、ある種の「いじめ」ではなかったか。社会的弱者と言われる種々のマイノリティーの人々もまた、文化的あるいは人種的同一性を基準に測られ、差別の対象にされてきた。

こうしてみると、私たちにとって、多様性はネガティヴにしか働かないものだと思いたくもなる。しかし、そうではあるまい。類や種の多様性は、もちろん人間に限らず、あらゆる生物にとってきわめて大切なものではないだろうか。多様ないのちの営みを通して、生物はその固有性を多種多様な形で発展させてきた。たとえば、ダーウィンのフィンチという鳥の事例が示しているように、多様な環境が、あるいは環境の変化が、種に独特で固有な発達を促すことは、良く知られている。人間の文化についても、その文化の環境に眼を向け、そこにある他なるものに気づくことを通して自らの文化の固有性を自覚し、さらにそれを新たに展開することが可能になる。多文化主義、多文化共生が唱えられて久しいが、それもまた、文化的な環境の変化に促される形で、多様性が新たな視点や、ものの観方の可能性を切り拓き豊かにするという、積極的な意識に基づいているはずである。

人間も含め、生物はすべて、自らが置かれた環境のなかで多様なものと出会い、遭遇し、時に依存しつつ、また時に死を賭して戦いつつも、互いに不可欠な関係を取り結んできたと見るべきであろう。とりわけ人の場合は、文化やそれに基づく価値観の多様性を受け入れ認めることが自らのそれを肯う前提となろう。それよりなにより、個の多様性を認めることによってこそ、言いかえれば、あらゆる人の個性をできる限り受け止めようとすることによってはじめて、普遍的な人間観が目覚めさせられてくるのだと言うべきであろう。個の独自性を認めなければ、そもそも普遍性そのものが成立しないからである。普遍性とは、無数の個の固有性を消し去る抽象的な概念ではない。多様な個の多様性を認めた上で、その多様性を包括しうる具体的な理念でなくてはならない。ここで言う「理念」とは多様な個が、その多様性を維持しつつ、自らの存立根拠として承認することができるもののことである。多様性の持つ根源的にポジティヴな意義はその辺にこそあるのではないか。私が私であり、貴方が貴方であることを確保するためにも、多様性が不可欠なのである。その上で、私と貴方が共有すべき「理念」が具体的な姿を採って現れてくることになるだろう。この点について、主体と多様性を関わらせながら、さらに考えてみなくてはならない。

## 第三節　主体と多様性の関わりについて

だからといって、むろん私が多様性との関係に尽くされるわけではない。あるいは、多様性を構成する無数の他者との関係をひとつひとつ取り除いていくことができるとして、最後のひとつを取り除くと私が残る、というのでもない。多様性のなかで他者と取り結ぶ関係の中心点ではあっても、「私」は単なる関係の結び目にすぎないのではない。どちらかと言えば、他者において私自身が「ほとんど無」と気づかされるとき、私の唯一性が強く意識されてくるように思われる。「私」の無、つまり「死」のことを思う時、私たちはしばしばそのような消失の意識に打ちのめされる経験をするが、しかし、その時、おのれの存在の「泡沫に等しきはかなさ」が、一転、「かけがえのなさ」として強く意識されるのだと思う。そして、この経験のなかで、むしろ、私と他者総体、つまり「環境」とが、不可分に同一であることが強く意識されるのではないか。

「私」の死の自覚という否定的な事態が、かえって反転して「個の自覚」という積極的な意味を明らかにするものとなる——このことを明示的に語っている西田幾多郎の最後の論文の文章をここに引いてみたい。

「自己の永遠の死を自覚するというのは、我々の自己が絶対無限なるもの、即ち絶対者に対する時であろう。絶対否定に面することによって、我々は自己の永遠の死を知るのである。併し単にそれだけなら、私は未だそれが絶対矛盾の事実とは云わない。然るに、斯く自己の永遠の死を知ることが、自己存在の根本的理由であるのである。何となれば、自己の永遠の死を知るもののみが、真に自己の個たることを知るものなるが故である。それのみが真の個である、真の人格であるのである。死ぜざるものは、一度的なものではない。繰り返されるもの、一度的ならざるものは、個ではない。永遠の否定に面することによって、我々の自己は、真に自己の一度的なることを知るのである。故に我々は自己の永遠の死を知る時、始めて真に自覚するのである。我々の自己は単に所謂反省によって自覚するのではない。」(註5)

いささか大仰な物言いと思われるかもしれないが、「自己の永遠の死の自覚」が「真に自己の個たることを知るもの」であるとする西田の主張の内容にはいささかの誇大な点も見あたらない。無数の多様な他者に取り囲まれた、すべてのもののなかのちっぽけな「私」であると知ること、すなわち、おのれの死を自覚すること、つまり「絶対無限なるもの、絶対者に対する」(diversus) ことを通してはじめて、「真の個」としての、「真の人格」としての、「主体」たる「私」が自覚されるというのである。言いかえれば、一切の絆を奪われて、私がほとんどの無として意識されるとき、そこに「絶対的な者」が顕現することで、個であるおのれの真実が実感されるというのであろう。その意味からすると、むしろ、逆説的にも、「私が私である」という同一性の意識は、自分自身と他者・多者との差異と類似性とを介して初めて可能になるものだということである。つまり、隣の貴方との違いと類似点の確認を伴っていてこそ、「私が私である」が成り立つのである。そうでなければ、極端な話、他者もまたすべて「私」として意識されていることになるだろう。

*　　　*　　　*

論理的な言い方をするなら、同一性とは本来、同一性と差異性との同一性だということである。他者との同一性と差異を介してこそ、私たちの自分の「自己同一性」は確保される。そのことを踏まえるなら、人間のみならず、自然的世界の多様性を介して、私たちは自然的存在者であるおのれを意識することができるのだと言わなくてはならない。もちろん、自然的存在者でありながら、植物とも他の動物とも、さらには他の人たちとも異なる「私」であることは、それらと比べたその相貌からしてすでに明らかに意識されているはずである。ライプニッツの「不可識別者同一の原理」に即して言うなら、この世界には、この「私」と同じものは、もちろん何一つとして存在しないからである。とはいえ、忘れてならないのは、まったく異なるものもまた存在しない、ということである。私たちは、植物によって、動物たちによって、そして人間たちによって生かされてあり、——それらや彼（女）らに対して（diversus）抱く棄嫌と愛惜の情の別と差異は、それらの存在者に応じて、まったく多種多様ではありながら——それら一切と、常に同時にこの自然的な、そして人間的な世界のうちで多様な形で共存し合っている。

「私」が自分らしく生きるとは、このような多様性の世界のなかにおいて、自分を「主体」として実感することにほかならない。つまり、多様性あってこその「主体」なのである。パスカルならば、これを、「すべてはひとつであり、すべては多様 dicers である」(註6) と表現するであろうか。一は多（すべて）のなかで（に）、多（すべて）は一のなかに(で)、と言いかえることもできるだろう。一個の主体は、多様なものに取り囲まれているばかりではない。それ自体が多様な在り方をする(註7)。多もまた、それらが多である限り、一なるものの多である。これは逆に見るなら、多がすべての一（すなわち、世界）のなかにあるからこそ、一が一であることができる。何ものも多・他と無関係には存在しえないということである。すべてがみな同じであるのなら、何もない、ということになろう。だが、「[ 葡萄の ] ひとつの房に同じふたつの粒ができたことがあろうか。」(註8) ライプニッツのモナド論が言うように、無限に多様でありながらこの世界には何ひとつとして同じものは存在せず、同時にひとつのモナドのなかに一切があるからこそ、主体は主体たりえるのである。したがって、一と多様とによってこそ、この世界はこの世界でありうるわけである。

＊　　＊　　＊

ここで、「ふるさと」に関して、オギュスタン・ベルクの『風土の日本』[註9]を参照してみたい。彼は「日本の風土」の特徴を「通態性」という概念で取りまとめているが、この概念が、私たちが、多様性と主体の関係を考えるうえで重要な示唆を与えてくれるように思われるからである。日本的環境である「風土」、つまり「ふるさと」の鍵概念として、彼は次の「三つの自明の命題」を挙げている（183 － 184 頁）。

1．「風土は自然的であると同時に文化的である。」

2．「風土は主観的であると同時に客観的である。」

3．「風土は集団的であると同時に個人的である。」

ベルクによれば、ここに挙げられたそれぞれ二つの対をなす項は「風土」において一つになる。と同時に、合わせて六つの項もまた互いに緊密に結び合ってひとつの全体として「風土」を構成する。しかも、そのそれぞれが相互に「因果的」かつ「メタファー的」に作用し合っており、こうして時間の過去・現在・未来さえもが動的に統合されるのだという（187 － 188 頁）。彼はこの動的かつ統合的な在り様を「通態性」と名づけてこう述べている。

「風土は「通態性」trajectivité として、すなわち風土を構成する諸項間の「相互生成」として、またそれらの項のあるものから他のものへの「可逆的往来」として考察されなければならない。この永続的な「通態」trajet から、常に生気に満ちた交差からこそ、生態学的・技術的・美的・概念的・政治的等々の性質を同時に持つ営みが織り成され、そこからある一つの風土が作られるのである。」（185 頁）

見られるように、「通態性」は、主観と客観、個人と集団、自然と文化という六つの項の間での交差を通して、「風土」médiance が構成される在り様を捉える働きを示している。これは、「主体」と多様性とが、密接かつ不可分に一体となって「ふるさと」という「環境」を構成しているという見方を強く裏づけてくれる。「風土」とは、私たちの過去・現在そして未来を支えてくれる、私たちを取り巻く空気圏・雰囲気 atmosphere、すなわち「ふるさと」のことにほかならないと思われるからである。

「ふるさと」は私たちの誕生の地であるし、意識的におのれを自覚するべく育んでくれる地でもあろう。さらには、いずこにあるにせよ、いつも私たちを支えていてくれる拠り所でもあれば、最終的に帰り着くべき境地 element だということができる。いわば、あらゆるものの起源であると同時に、帰りゆくべき到達地のことであろう。こうした意味で、他者との関わりの総体のことを「ふるさと」という概念が担っているのである[註10]。

「ふるさと」を想起すること、それを通して今の自分自身を顧みて、「ふるさと」をなおも追い求めること、そこに「自分らしさ」の本来の在り方が認められるように思う。「ふるさと」とは、語の厳密な意味で私たちの魂の源にして拠り所のことだからである。私たちは、心の奥に潜む「ふるさと」と現在との間をその時々に「往還している」とは言えないだろうか。「ふるさと」が私たちの心と命の源であるとすれば、私たちは、常に「ふるさと」に立ち返り、そこから生きる活力を得てきていると見ることもできるだろう。もちろん、「ふるさと」が何であり、どのように思い描かれるのかは、必ずしも確定的に意識されているわけではないし、また、いつも「ふるさと」のことを考えているわけではないけれども、恐らく「日々のやすらぎ」を求め、憩うべき縁を求める時、そこに「ふるさと」が現前していると考えても、強ち間違いではないのではないか。

＊　　　　＊　　　　＊

さて、主体と多様性に関連してもう一点、重要な見方をここで指摘しておかなくてはならない。それが、「個体は語りえない individuum est ineffabile」という、西洋哲学の伝統的な考え方である。ここに或る個体があるとする。それが何であるかを、この個体そのものに即しては語ることはできない、ということである。たしかに、例えば、「このもの」、「この私」、「この貴方」、を表現するのは難しい。他のものに置き換えられない

「このもの」、「この私」、「この貴方」をどう表現するか？　一般に、ものは、普遍化して命題に表す：たとえば、「このもの性」「何もの性」云々。何であれ、私たちはそのものを他のものとの関係の脈絡のなかに置いて、比較考量して考えるほかはない。つまり、このもののいわゆる「このもの性 haecceitas」は、「このもの」と直示的 deictic に指し示すほかはないが、しかしそれさえも「あのもの（ほかのもの）」との対照的（diversus）な関係において、はじめて意味を成すというのである。

この点からして明らかなように、我々の言語表現は「或るもの」を常に他との関係において、つまり「普遍的な」形で言表せざるをえないのである。これは、ものを把握し、理解するという基本的な態度の在り方の問題、すなわち、広義の意味での「教養」の問題に通じていく。個々の事物や事例であれ、あるいは複雑に絡み合ったそれらであれ、それ（それら）が本来何であるのかを、そのあるがままに（したがって、本質的に）把握し理解するのが「教養」という力だからである。こうして、多様性と主体とのかかわりは、つまるところ、「教養」とは何かという問いに行き着くことになるだろう。その経緯は次のように、別な側面からも浮かび上がらせることができるように思われる。

多様性の溢れる今日の社会において、私たちは、ともすれば自らの主体性を見失いがちになる。言ってみれば、自分自身のものと思っているその特徴らしきものの多くが、情報社会のなかで私たちの意識に刷り込まれた単なる思い込みや迷執ではないと、一体どのようにして確認することができるのだろうか。自分で（が）考える、とはどのようなことなのか、改めて問いかけてみると、その自分が甚だあやふやなものに思われてきそうになる。デカルトならずとも、どうすれば「主体」としての自分を保持することできるのか、という根本的な問いに想到して不安に陥るのは自然の成り行きであろう。このような不安定な「私」を支えてくれるもの、それもまたやはり「教養」と言われるものの力であろう。

## 第四節　「教養」とは何か
## ――「多様」を包摂する「主体」を目指して（註11）

「教養」とは何か。今日、大学における研究分野の高度な専門化の進行に伴って、いわゆる「人間力」の脆弱化が強く意識されるようになってきたからであろうか。専門性を生かすためにも、幅広く深い「教養」こそが必要ではないか、と言われている。重視するにしろ、軽視するにせよ、「教養」とは何かという問いの重要性に変わりはないはずであるが、大学においてこれまでは、ことが制度上の問題にずらされてきたことで、「教養」への問いが深く掘り下げられる方向には進まなかったように思われる。

その理由はある意味で明白である。ヨーロッパの大学における「教養教育」に関する歴史的知識のことは措いておくなら、それが、「教養豊かな人」によってこそはじめて答えられるはずの、それ自体厄介な問いだからである。では「教養豊かな人」とはどのような人のことなのか――そのような教養を持ち合わせていない私に答えるすべなどないと言わざるをえないのだが、それと思しき人物を一人挙げることならできそうである。『ファウスト』の作者、あのドイツの大教養人、文豪ゲーテである。文学史上に名高い「教養小説 Bildungsroman」、『若きウェルテルの悩み』、『ヴィルヘルム・マイスターの修業時代』そして『ヴィルヘルム・マイスターの遍歴時代』の作者でもある知の巨人ゲーテを例にとるなら、「教養豊かな人」とは、大まかには、古今東西の文学や哲学や芸術、さらには科学も含めた学術や文化一般に広く通じ、包括的な人間観をもっている人のことではないか、とは言えそうである。「大まかには」という条件を付すのは、もちろん、即断することが難しいからであるし、「文化一般に広く通じている」という物言いも曖昧にぼかした言い方である。むろん、単なる知識の集積のことを言いたいのではない。何を文化の本質と見るのかという透徹し、通底した視線と視野を持っていることが望ましい、とだけは言えるだろう。さらに「包括的な人間観」もまた容易ならざる表現であるが、ベルク流の言い方をするなら、人間を「通態性」

において捉えることだと見ることもできそうである。これまでの議論を踏まえて総括するなら、「教養」とは、要するに、多様性を受け止め、受け容れることができる力のことだと言ってよいだろう。これについては、さらに、以下で論じることになる。

では、とりあえず「教養豊かな人」はそのような人のことだとして、それでその人には何が見えているのだろうか――これもまた厄介この上ない問いであるが、ゲーテに仮託して差しあたって言えるのは、その人の目には「人間の全体」が見えているのではないか、ということである。大きく二分化して言うなら、人間の栄光と悲惨、偉大さと惨めさ、神性と獣性、慈しみの心と残虐な心、愛と憎しみ、平安と戦火、幼子の無垢な心と達人の透徹した境地、等々――こうしたふたつの極の間を揺れ動き揺さぶられる人間たちの生ける姿の全体のことである。こうした二分化した割り切った見方が、全体的な人間理解にとって一面的なものでしかないことは十分弁えていなければならないが、そのどちらかに重きを置こうとするよりも、少なくとも統合的な理解の方向性を目指すなかでなら、この二分化の図式もまた十全な意味をもちうるだろう。むろん、主体と多様性という対照的理解もそこに含まれる。その際何よりも大切なのは、無論自分自身への問いも含めて、「人間とは何か」という問いを根本に据え、多様な答えを受け容れ続けることであろう。

「教養」とは何かという問いは、この「人間とは何か」という問いとひとつに収斂させることで、より普遍的な広がりを持ちうるものとなるだろう。というのも、この、いわば原初的な問いの営みのなかでこそ、これまで人々は「教養」を培い、積み重ね、文化を構築してきたからである。というよりもむしろ、私たちの営みのすべてがこの問いをめぐってきたのだとも言えるように思われる。もちろん、この問いに対しては、様々な答えが可能であるし、実際古代ギリシアの哲学者アリストテレス以来、西洋の人々は、例えば肯定的な定式としては、「理性的動物」、「言葉を操る動物」、「ポリス的共同の動物」などの定義を与えてきた。こうした定義は確かに人間の本質を突くものではあろうが、多様性を念頭に置くなら、どうしても一面的であることを免れない。すぐさま、「理性」とは、「言葉」とは、「共同」とは、何かという問いが立てられるし、むしろそれとは反対の、「反理性」、「沈黙」、「反共同」もまた人間的な在り方ではないのか、という異論が唱えられるからである。たとえば、「理性」にしても、対する「反理性」にしても、けっして一義的なものではなく、人によって異なる多様な人間の知的特質のことが考えられよう。「理性」とは何かという問いは、とりあえず措いておくとしても、「反理性」のみならず「非理性」、さらには「没理性」もまた「人間」ならではの態度の取り方ではないのかと反問することもできる。さらには、「不条理」こそ人間の常態だ、と言ってはばからない人がいることも考慮しなくてはなるまい。

そうだとすると、「人間とは何か」という問いに関しては、答えを得ることよりもむしろ、問いを発し、それを引き受けることそれ自体の方が重要だと言わなくてはならない。私たちは往々にして、一定程度の答えを得て、得心してしまい、その納得が足かせとなって却って自分の思考を妨げることになってしまう。私たちには、自分自身を納得させるために、ともするとそのほかの思考回路を遮断して、ある固定観念に呪縛されようとする傾向がある。古今東西の偉人が与えてくれる定義を後生大事に掲げるのは人の常であろう。あるいは、伝統に依存して、ある種の文化的な偏見を自分のものと信じ込んでいる場合もありそうである。そうした思い込みを吟味するためにも、やはり、「人間とは何か」という問いを絶えず自らの心のうちで反芻し続けなくてはならない。

もとより、この問いは何よりも自分自身に向けられるはずのものである。私はどのような「人間」であるのか——答えが定まっていない以上は、正確を期して言うなら——私は一体どのような「人間」であろうとするのか、どのような「人間」になろうとするのか、と。「教養」の根幹は、この問いを携えて自分自身に真剣に向き合うところに存在するのだと、私は思う。「教養形成」を主題とするヘーゲルの『精神現象学』という書物に関連させて言うなら、「教養」とは、「今、ここに現前する」自らの出発点と行く末の目標とを追い求めつつ、「人間」としての自分自身のありうべき本質を見定めようとする自覚的な意識の在りようのことだと言えるだろう。自らの本質であるものとは、あの「ふるさと」「自分らしさ」の原点のことであるが、この「ふるさと」の根幹を掘り起こし、その本質を探り当てることが「教養形成」の「経験」になるわけである(註12)。

もっともヘーゲルはこのような「経験」が真っ直ぐな道筋だと考えていたわけではない。先の西田と同じように、彼は何よりも「自己の否定態」――なかでも「死」という「絶対的な主人」――のただなかで自分を見つめ直すことを「人間」の本質と捉えていたからである。このような「否定的なもの」に耐えて、なお自分の本質を手に入れようとする意欲を保持すること、この力技が「教養」の根源なのである。単純な言い方をするなら、障碍に突き当たって岐路に立ち、そこでより適切な判断を行使するということである。「教養」が疎かにされてはならない理由もここにある。哲学者でも宗教者でもない私たちにしてみれば、「否定的なもの」は「死」などという大袈裟なものではなく、例えば自堕落なおのれ自身のことだとしてもよいだろう。そのような自分の姿にも目を閉ざす事なく、どこまでも「人間とは何か」と問い、おのれを見つめ続け、多様な答えを受け止めうる「根源的な力」のことを「教養」と呼んでよいのではないだろうか。ここに至って、主体と多様性が互いに対して十全な意味をもって関わりうるようになることは、容易に了解できるであろう。多様性を排除するのではなく、多様性のそのなかで自分自身の「主体性」を保持し続けること、それが「教養」のことだからである。

## おわりに

「私は私である」の自己同一性を確認するためには、多様な「他者」についての認識が必要であることを、まず認めよう。その認識も、私から他者への一方向のものではなく、双方向的なものだということも。さらにその他者たるや、「環境」や「空気圏」に包み込まれた、その内にあるすべてのものまで広く含まれるのである。ところが、その「他者」についての認識には、同時に「違い・差異」の意識が伴っていることも、やはり最後に押さえておかなくてはならない。そこから「差別や蔑視」の意識や感情が生じることも注目すべき重要な事柄である。

たとえば、1993年にノーベル文学書を受賞した最初のアフリカン・アメリカンの作家トニ・モリスン（1931/2/18 − 2019/8/7）は2016年に次のような衝撃的なことを述べている。

「奴隷が「異なる種」であることは、奴隷所有者が自分は正常だと確認するためにどうしても必要だった。人間に属する者と絶対的に「非・人間」であるものとを区別せねばならならぬ、という緊急の要請があまりにも強く、そのため権利を剥奪された者にではなく、かれらを創り出したもの［世界創造者の神］へ注目は向けられ、そこに光が当てられる。」（註13）

モリスンの描く黒人奴隷と白人との、いわば極度に差別的な関係は、すでに克服された過去のことだと言えるのだろうか。今年（2020年）全米で巻き起こっている、「Black Lives Matter」をスローガンに掲げた反人種差別デモのうねりを見れば、到底そのように言えるはずもないことが、容易に分かるだろう。私たち自身の意識の中にそれに類似した差別意識がないと言い切ることも難しそうだと思われる。多様性を重視するということは、自らのこうした差別的意識に対して敏感になるということでもあって、そうであってこそ自己同一性の意識も「主体」という積極的な意味をもちうるものとなろう。多様性を重視するとは、言葉をかえれば、マイノリティーに対するおおどかな包容力を自分のものにするということである。

ところで、自己同一性の意識は、以上のように、多様な「他者」との差異の認識によって確保されるものだが、このような「他者」とは、実は、私たち自身のことでもあるということに眼を向けよう。たとえば、「他者」を異質と感じるその意識は、ほかならぬ私たち自身のものであるし、そのような差別され、蔑視されるべき「他者」とは、モリスンが言うように、私たちの内なる自分自身の意識の投影にほかならないからである。かくして、他者蔑視による自己正当化は、自己の意識程度の粗雑さの裏返しの反照だということが明らかになってくる。つまり、他者を蔑視する者は自分を尊重できない――いや、自分自身を蔑視していることになる――という道理である。たとえば、説話に登場する鬼や妖怪は、私たちの心に映し出された自分自身の心の、内なる確たる「恐れ」もしくは「畏れ」の想いの所産だということもできよう。「主体」とは、多様性の溢れたこの世界のなかで、この否定的な自分自身の在り方を認める者のことでなくてはならない。この、容易ならざる確認の姿勢によって、「人間とは何か」という問いが誘発され、「教養」が目覚めさせられ、そこに「主体（性）」が宿るのだと考えなくてはならない。要するに「教養」とは、多様性のなかで、「主体」を「主体」たらしめるもの、すなわち「自分らしさ」をもたらす源の謂いなのである。

【註】

1）B. Pascal, *Pensées*, Œuvres complètes tome 2, edition par Michel Le Guern, Gallimard 1999, p.578.（『パンセ』前田陽一・由木康訳、世界の名著２４巻『パスカル』（中央公論社、1966年）所収、117頁参照。）

2）この点について、小論ではあまり論じることはできなかった。より詳しくは、下の註10）に挙げた拙論などを参照していただければ幸いである。

3）この英語は、例えばドイツ語ではVerschiedenheitやDifferenz,Vielfaltと訳されるが、その意味するところは、「差異・異なり・違い」である。「おわりに」で述べるように、これが翻って他者に対する「差別や蔑視」につながることは見やすい道理であろう

4）伊藤静雄「そんなに凝視めるな」（『凝視と陶酔』、詩集『反響』1947年、所収）の最後の二行。

5）西田幾多郎「場所的論理と宗教的世界観」（西田幾多郎全集（岩波書店）第１１巻）、395頁。

6）これは、小論冒頭に引いた、パスカルの『パンセ』のフランス語の訳文である（上の註１）を参照）。

7）「魂にはいろいろの性向がある。なぜなら、魂に現われてくるもので単一なものはなく、また魂はどの対象に対しても単一なものとしては現われないからである。」（*Pensées*, op. cit., p.557.　パスカル『パンセ』同前訳書116頁。）

8）*Pensées*, op. cit., p.753.　パスカル同前訳書116頁。

9）オギュスタン・ベルク『風土の日本――自然と文化の通態』（篠田勝英訳、ちくま学芸文庫、2008年）。以下本書からの引用に際しては、本文中に頁数を記す。

10）筆者は2011年３月の東日本大震災以降、「ふるさと」についてすでに幾つかの文章

を公表しているが、ここでの論点と特に関連するのは、次の二つである。参照していただければ幸いである。1.「「ふるさと」考——「とどまる今」と、「臍の緒」がつなぐ心の世界——」（東北大学教養教育院叢書第二巻、『震災からの問い』東北大学出版会、2018年）、2. Reasoning about *Furusato* as the Origin of Life（生命）and Spirit（心）, in : "Furusato —'Home' at the Nexus of History, Art, Society and Self," ed. by Chr. Craig, E. Fongaro and A.Tollini, Mimesis International Milan 2020.）

11）この「第四節」の内容は、以前発表した次の文章に加筆し、修正を施したものである。「「教養」とは「人間とは何か」と問う根源的な力のことである」（全学教育広報『曙光』第44号、2017年秋号、東北大学高度教養教育・学生支援機構）。

12）ここで簡単に述べた、ヘーゲルの『精神現象学』の「経験」概念について、詳しくは、たとえば、拙論「『精神現象学』、精神の登高の物語」（「加藤尚武編『ヘーゲルを学ぶ人のために』世界思想社、2001年」を参照していただければ幸いである。

13）トニ・モリスン『「他者の起源』（集英社新書、2019年、56頁。

# 第四章　教養教育における多様性の問題
## ——他者への共感が求められる時代の教養教育——

花輪　公雄

### はじめに

「生物多様性（biodiversity）」という概念が広く人口に膾炙したのはそう古いことではないのではなかろうか。この語は、インターネット事典ウィキペディアの日本語版によると、それまでは biological diversity や natural diversity として使われていたが、1985 年に新造語として現れ、1988 年に公式文書に初めて使われたという[(註 1)]。1980 年代は、人類の社会・経済活動の活発化とグローバル化により、自然環境の改変が進行し、生態系の破壊が顕在化していた時期である。また、人為的要因により地球温暖化が進行しているとの指摘がなされ、国連の一組織として「気候変動に関する政府間パネル（IPCC）」が設置された時期でもある（1988 年設立）。このような背景のもとに、1992 年ブラジルのリオ・デ・ジャネイロで開催された国連環境開発会議（UNCED）で、生物の多様性の保全を目指す、通称「生物多様性条約（CBD）」が採択され、翌 1993 年に効力が発生した。これを契機に、国際的にも、社会的にも、生物多様性の重要性が認識され、その保全に向けた関心が高まった。

生物多様性に関する一般的な理解は、‘生態系は、ウイルスや細菌から、大型の動物・植物まで、さまざまなレベルの生物が複雑に絡み合ってできているのであり、その多様な状態こそが外部攪乱に対して多くのセーフティネットが機能する安定な系を創っている’ので、これを保全する必要がある、というものではなかろうか。したがって、自然環境に対しては、できるだけ‘人の手が加わらない、ありのままの状態に近いのが良い’という考えが出て、保護区の設定などが進められている。

本稿は、本書の企画書の表現をそのまま用いれば、「生物界や人間界といった可視的対象のみならず、不可視の思想の中にもさまざまなレベルで現出している多様性に対し、教養教育が示唆することが可能な立ち位置を示す」ことである。この問いかけは、長年理学系の分野で研究してきた私にとって、極めつきの難問である。実際、どこから手を付けていいのか途方に暮れてしまった。それでもお引き受けした以上はと思い、浅学非才の身であるが、私なりの解釈で本稿を記すことにした。

以下、第一節では森林生態系の最新の研究を紹介し、自然界における多様性の重要性を再確認したい。第二節では歴史の観点から、多様な属性を持つ人たちの存在を認めることが国の統治では最重要であることを確認したい。第三節では、現在の私たちをとりまく状況から、不寛容な時代であることを述べたい。第四節では、大学における教養教育の重要性を改めて確認したい。そして、大学における教養教育の目標の一つが、この「多様性を受け入れる力」を養成することであることを述べてみたい。第五節では、具体的に教養教育のカリキュラムに、多様性を受け入れる力を育む授業として、どのようなものを組み込めるのかを考えてみたい。

## 第一節　生態系の研究から学ぶ多様性の重要性——森林の場合

近年、地球温暖化の進行を背景として、世界中で極端な気象による災害が増加している。降水現象にしても、‘降れば土砂降り’の極端な豪雨が頻発している。我が国では、このような豪雨により、植樹されている木々も含めて山の斜面が一気に崩落する出来事が起こることが多い。斜面崩落を報じた映像を見ると、斜面や周辺の樹木の種類は一種類、それもほとんどが針葉樹であるスギであることが多い。これらのスギは、戦後日本中でいっせいに植樹された。短期的に木材資源を得ることはできるが、このような単一種樹林は森林生態学的には大変脆弱であるという認識が一般的である。以下、多くの樹種が共存している天然林に近い森林が、いろいろな観点で望ましいとする森林生態学者清和研二氏（現東北大学名誉教授）による論考から紹介する（註2）。

人の手が入っていない天然林では、針葉樹と広葉樹とが混ざり合い、かつ多くの樹種が共存しているのだそうだ。その理由について、従来は、気温、降水量、日射量、土壌の質、水の存在などの物理的な環境が種を選んでいるのではないかとの説があったが、近年、鳥、ネズミ、昆虫から土壌菌まで含めた多くの生き物が関わって、そうなっていることが明らかになりつつあるという。

樹種が多様化するメカニズムの中に、二人の研究者の名前がついた「ジャンゼン－コンネル仮説」と呼ばれるものがある。この仮説は、親木（成長し他よりも大きくなった木）周辺では、親木の樹種に対してのみ強毒性を持つ土壌菌が存在し、親木の種子が近傍に落下しても育たないのだという。そのため、親木周辺では、親木以外の樹種の種子が発芽する確率が相対的に高くなり、樹種が混じり合いながら増えていく。この親木の近くの土壌に存在し、親木に強い毒性を持つ土壌菌は、繰り返し多くの種子が親木から降りかかることから、遺伝子を組みかえて親木の種子や、発芽した実生（みしょう）の防御機構をかいくぐることが可能なものに次第に進化したからなのだそうだ。この仮説は、1970年代に当初熱帯雨林の多種共存の理由として提案されたが、現在では清和氏のグループの研究などにより、日本のような温帯林でも成り立っていることが分かってきたのだという。

多種類の樹木からなる多様性の高い森は、単一種の森に比べ、そこに存在する多様な動植物により生産力が高く、また、高い保水能力を持つため洪水や渇水を防ぎ、さらに水を浄化し、害虫の発生を防ぎ、病気の蔓延を防ぐなどの多くの有用な効果を持つ。清和氏は、生物多様性が高い森が持つ、優れた社会的機能を次のように3つの観点でまとめている。

生存の機能：きれいな水と空気／洪水や渇水の防止／土壌の保全／土砂災害防止／地球温暖化防止

生活の糧　：木材（家、家具、建具）／燃料（薪、炭、ペレット）／食料（茸、山菜、蜂蜜、鳥獣）／工芸品（漆、樹皮、ツル、

ロウ）／医薬品
心の糧　：日常の風景／信仰（社寺林、山岳）／療養（森林療養）
／登山、釣り、行楽／教育、サイエンス

先述したように、日本の森林の多くは、戦後になると大きな需要により伐採が進み、その跡には針葉樹であるスギやヒノキが植樹された。地域によっては森林面積の何十%にもなる。清和氏は、今後多種共存の森を復元するため、人工針葉樹林を広葉樹との混交林にするなど、100年先、1000年先の森を見据えた林業の在り方や、森と人間の付き合い方を提案している。

この節の最後に、清和氏の論考の‘あとがき’の一節を引用したい。これまで現代社会は効率化を求めてきたとしたうえで、「地球は人間だけでなく、多様な生物が共存している『生態系』なのである。一緒に共存する生物の力、生態系の力をもっと取り入れた方が『効率的』なのである。人類も生物社会の一員だ、ということを頭に入れて、生物社会の論理の中で、また生態系の循環や連鎖の中で生きていくすべを身に付ける時期に来ている。」

## 第二節　歴史から学ぶ多様性の重要性―ローマ帝国の繁栄の背景

多様性を受け入れることの重要性は、私たち人類の歴史からも学ぶことができる。私の大好きな作家にイタリア在住の塩野七生氏がいる。同氏は多くの‘歴史エッセイ’（同氏の表現）を上梓しているが、中でも毎年1巻ずつ出版されて、全15巻に及んだ『ローマ人の物語』(註3)は圧巻である。その中では、ローマ帝国の隆盛と衰退に関する分析がなされている。これを題材に、国の統治においても‘多様性の受容’が重要であることを確認したい。

ローマ帝国は初代皇帝アウグストゥス（生年は紀元前63年、没年は紀元14年、皇帝在位は紀元前27年から紀元14年：以後、すべて紀元（西暦）であるので、年も省略して、数値のみで記す）による創立から、マルクス・アウレリウス（121 － 180、在位161 － 180）が亡くなるまでの約

200年間、広大な支配領域の中で平和と繁栄がもたらされた。後にこの時代は「ローマの平和（パクス・ロマーナ：Pax Romana)」と呼ばれている。中でも後半の約100年間は、5人の皇帝により統治されたので、五賢帝時代とも称される。

ギリシア出身の文人で弁論家でもあるアエリウス・アリスティディス(117または118 − 180以降）は、5賢帝の4番目の皇帝アントニヌス・ピウス（86 − 161、在位138 − 161）が皇帝となってから5年目の143年に、元老院議員を前にして演説を行った。現在、「ローマへの頌詞（しょうし）」と呼ばれる演説である。その一部を引用しよう。

> 戦争はもはや、国境線でなされるだけになり、帝国内部の紛争はまったく姿を消した。帝国の内側では、隅々まで平和と幸福が浸透している。帝国の外側に住んで民族間の争いに明け暮れている人々が、哀れに見えるほどである。
>
> ローマは、すべての人に門戸を開放した。それゆえに、多民族・多文化・多宗教が共生するローマ世界は、そこに住む全員が、各々の分野での仕事に安心して専念できる社会をつくりあげたのである。ここでは、国家の祝祭日には皇帝が主催する祭儀が行われるが、民族別や宗教別にもそれぞれ祭儀が行われている。このことは、各人が各様に、自分自身の尊厳と正義を維持し、育てるのに役立っている。
>
> ローマ人は、誰にでも通ずる法案を整備することで、人種や民族を別にし文化や宗教を共有しなくとも、法を中心にしての共存と共栄は可能であることを教えた。そしてこの生き方が、いかに人々にとって利益をもたらすかを示すために、かつての敗者に対しても数多くの権利の享受まで保証してきたのである。
>
> このローマ世界は、一つの大きな家である。そこに住む人々に、ローマ帝国という大家族の一員であることを日々思わせてくれる、大きな家なのである。

元老院でこのアリスティディスの演説を聞いていた、後に5賢帝最後の皇帝となるマルクス・アウレリウスは、彼の『自省録』の中に次のように書いている。「法は誰にとっても平等に執行され、個人の権利も言論の自由も保証される。この目標達成こそ、臣下全員の自由の保証を常に心がけることを基盤にしての、君主制の存在基盤がある」。為政者である皇帝自身が、法の下の平等を、すなわち、ローマ帝国内における人々の多様性を認めることが国の繁栄の礎であることを、強く認識していたことを示している。

元老院を前にしたアリスティディスの演説は、そもそもローマ帝国を褒め称えるためのものであり、割り引いて捉える必要があるだろう。それでも後に、『ローマ帝国衰亡史』を記したイギリスの歴史家エドワード・ギボン（1737 − 1794）が次のように表現していることは注目に値しよう（註4）。「もし、世界史のなかで、どの時代がもっとも幸福で、かつまたもっとも繁栄を享受した時代であったかと問われたとすれば、それはドミティアヌス帝の死去からコンモドゥス帝の即位までの期間（筆者註：五賢帝時代）である」と。

古代ローマは多神教の世界であった。多神教の世界は、自分の信ずる神も他者の信ずる神も同様に認める世界である。したがって、時代とともに共存・共生する神の数も増え、パクス・ロマーナの時代、ローマでは三十万にも及ぶ神が存在していたという（註5）。

パクス・ロマーナ後のローマ帝国は、次第に衰退の道をたどる。ローマ史では「三世紀の危機」と呼ばれている。多くの歴史家はその要因として、帝国指導者層の質の劣化、蛮族の侵入の激化、経済力の衰退、知識人階級の劣化などを挙げているが、その一つにキリスト教の台頭も含まれている。

ローマ帝国の衰退には他宗教を認めないキリスト教の台頭があったことは想像に難くない。同じく一神教であるユダヤ教は、ユダヤ民族のための宗教であり、他民族の人たちへの布教の働きかけはなかった。一方、キリスト教では、キリスト教信者から見れば邪教を信仰する他宗教の人たちへ、改宗を迫ったのである。ローマ帝国内では当初弾圧されたキリスト教信者であるが、次第に勢力を拡大すると、他のローマ人とさまざまな軋轢を生むようになり、国力の衰退を加速する要因となった。

以下、4世紀以降の主な出来事を記すと、311年、コンスタンティヌス大帝（272 － 337、在位 324 － 337）は、「ミラノ勅令」によりキリスト教を公認する。391年には、テオドシウス帝（347 － 395、在位 379 － 395）が、キリスト教を唯一の公認宗教、すなわち、ローマ帝国の国教とした。キリスト教の国教化により、ローマ皇帝は‘ローマ市民から’ではなく、‘神から’国の統治を委託されたものと位置付けられることになった。395年、ローマ帝国は完全に東西二つの帝国に分裂する。そして、426年、ローマを領内に持つ西ローマ帝国はその終焉を迎えた。

現在でも宗教的対立は根深い。しかしながら、多様な宗教の存在を認めていくことは、人類が平和裏に生存していくうえで、必須のことではなかろうか。この点は後に再び触れる。

## 第三節　不寛容な現代社会を変えるには

### 3 － 1　感染症騒動の中で見えてきたこと

2019年に中国から広がった新型コロナウイルス感染症（COVID-19）は、瞬く間に世界各国に飛び火し、世界保健機関（WHO）は2020年3月11日、パンデミック（世界的大流行）状態にあると宣言した。その後も猛威は衰えることを知らず、世界史的な出来事となって、現在も進行中である。2020年8月下旬現在、世界216の国と地域に及ぶ感染者は2500万人を超え、死者も85万人に達する事態となっている[註6]。

人類と細菌やウイルスによる感染症との戦いは、人類の歴史が始まった時からのことと考えられている。実際、人間の全遺伝子情報（ゲノム）の解析結果によれば、本来の機能であるたんぱく質を作るための遺伝子はおよそ1.5%のみで、ウイルス由来の遺伝子が約半数を占めるという[註7]。感染症が歴史を変えた出来事もこれまで何度も起こっている。とりわけ21世紀に入ると、新種の感染症の発生が増えており、また、発生源から思いもよらない国や地域へ急激に飛び火し、拡大することも多くなってきた。これらの要因として、人類の社会・経済活動の活発化による地球環境の改変や、その帰結の一つである地球温暖化の進行、そして国際的な人間の移動の活発化、すなわち社会・経済活動のグローバル化の進行が上げられている。

この感染症蔓延という異常な事態の中で、平時では隠れて見えない出来事や事件が起こり、そして個々人や社会、国という様々なレベルで、‘利己的’な考え方の表出や行動が出現している。例えば、国レベルでは、ヨーロッパに感染が拡大した直後、ヨーロッパ連合（EU）に所属している国々でも自国第一とばかり、連携の模索よりも先に、相次いで国境封鎖に踏み切り、EUとは一体何だったのかと多くの人を嘆かせた。また、ワクチン開発の目途が立ったとの報道が出るや否や、先進諸国はワクチン獲得の競争に奔走した。個人レベルでは、感染防止に役立つとされるマスクの着用をしない自由もあるのだと称して着用しなかったり、着用していない人を見つけると、事情の有無を確かめることなしに非難したりする人も現れた。国にあっては自国第一主義に、社会にあっては‘他者に寄り添うことのない不寛容な社会’になっているのである。

社会・経済的な営みがグローバル化した現在、一か国のみで感染症対策に成功したとしても真の解決にはならないことは明らかなことである。今後ウイルスと共生するになったとしても、世界中のあらゆるところでウイルスとの共生への対応ができるまでは、真の問題解決とはならないのである。このような観点からは、感染症との戦いは世界中の国々が連携して行うべきものであることは言を俟たない。しかしながら、国境封鎖やワクチン獲得競争の例のように現実は異なり、先の表現をここでも用いれば、‘他国に寄り添うことのない不寛容な国際社会’になっているのである。

### 3－2　社会の中の偏見と差別

私たちは様々な属性を持ってこの社会に生まれてくる。生まれてきた人種、民族、国、地域、ジェンダー、そして家族など、これらは自らが選択できる属性ではなく、不条理にも与えられたものである。自分では選択できないこれらの属性を‘個性’と呼べば、現代社会は多様な個性を持つ人で溢れる集合体となっている。しかし、そこには、もっぱら歴史的な背景により、容易に解消されない様々な偏見と差別が存在している。

新型コロナウイルス感染症パンデミック騒動の中の2020年5月25日、アメリカ合衆国ミネソタ州ミネアポリス近郊で、一人のアフリカ系アメリカ人、ジョージ・フロイド氏が白人警察官によって窒息死させられるという出来事が起こった。‘フロイド事件’である。フロイド氏は黒人であったことから、この事件を機に世界中で黒人差別反対（Black Lives Matter）運動が沸き起こった。そしてその最中にも、第2、第3と、続けざまにフロイド事件が相次いで起こっており、抗議活動は止むことを知らない。また、この間、長年同国の公民権運動の旗手であったジョージア州出身の民主党下院議員、ジョン・ルイス氏がすい臓癌で7月17日に亡くなっている。これまでもフロイド事件と同様のことが起こるたびに人種差別反対運動が起こっていたが、今回は大きな変革をもたらすのではないかと期待されている。

人種差別問題に加え、多民族国家においては、民族差別問題も根強く存在する。これら多民族国家の少なからぬ国々で、少数民族への差別や偏見に加え、少数民族の独立の希求を良とせず、迫害や弾圧がなされる事態ともなっている。中国新疆ウイグル自治区のウイグル民族や、内モンゴル自治区におけるモンゴル民族の独立運動に対する中国政府による弾圧や、ミャンマー政府によるロヒンギャ民族に対する抑圧は、そのような典型事例であろう。

身の周りの社会の中でも多くの偏見と差別問題が存在している。性的指向や性自認に関する少数者の人たち、いわゆるLGBTの人たちへの偏見や差別はまだまだ根強い。また、精神障害・発達障害・知的障害を持つ人たちへの偏見や差別も存在する。小学校や中学校におけるいじめ問題の原因の背景には、これらの人たちへの理解不足があることが多い。さらに、視覚や聴覚をはじめとする身体に障害を持つ人たちへの、健常者による思いやりのない行動や行為もしばしば起こっている。社会の中で起こる様々な差別や偏見の問題も、根本には、少数者に寄り添う力が十分ではないことがあるのではなかろうか。

### 3－3　多様性を認める力

現代社会が不寛容である状況は、人類の長い歴史の中で創造し、築き上げ、蓄積してきた‘思想’や‘宗教’、‘倫理’や‘道徳’などが無力であることを意味しているのだろうか。現状に鑑みれば、答えは肯定するほかないのだろう。では、このような状態を打破するにはどうすればいいのだろうか。その一つは、「他者に寄り添う力」を持つ努力をすることであろう。「他者に寄り添う力」とは、自分と異なる個性、すなわち、属性を持つ他者の存在を認めて尊重する力、すなわち「他者に共感する力」である。それは取りも直さず、他者の立場に立って自分を見つめることができる、自分を相対化する力でもある。「他者に寄り添う力」や「他者に共感する力」とは、言い換えれば「多様性を認める力」に他ならない。

人間は他から孤立した個としては生きられず、多くの人たちとの関わりの中で、すなわち社会の中で生きて行かなければならない。そして、この社会が集まり、一つの国を作る。国は多くの他の国とともに、地球という一つの惑星に存在する。多様な個性、多様な考え方・価値観を持つ社会や国、多様な民族、多様な人種が混在するこの‘宇宙船地球号’が、少なくとも以前よりは、より良く、よりましに存続するためには、私たちは何をなすべきなのであろうか。それは、多様性に価値を置く思想、思想が大げさならば、考え方を‘育む’ことであろう。

大学であれば、このような力を育む場所は、学生と教員との触れ合いが濃い研究室や、あるいは人文・社会科学系であればゼミが候補であるが、全学的なシステムとしては教養教育（または一般教育、あるいは全学教育）の場が候補となろう。次節では、教養教育の目指すところを見てみたい。

## 第四節　大学と教養教育
## ——大学で学んでほしいこと、身に付けてもらいたい力

### 4－1　ミルの大学論

現在でも、多くの大学人は、大学では専門知とともに「教養」を身に付けてほしいと願っているが、これを明快に言い切ったのは、英国の哲学者・経済学者のJ.S. ミル（1806-1873）ではなかろうか。ミル自身は大学教育を受けなかったが、1865年11月に行われたスコットランドのセント・アンドリュース大学の学生投票の結果、名誉学長への就任を依頼されることになった。ミルは就任まで1年間の猶予期間を設けることを条件に受諾し、1867年2月1日、同大学の学生と関係者を前に就任演説を行った。この間、大学の教育はどうあるべきかについて、ミルは構想を練っていたのだという。2時間とも、3時間とも言われる就任演説の中で、大学で学ぶべきことは教養であると、次のように言い切った[（註8）]。

> 大学は職業教育の場ではありません。大学は、生計を得るためのある特定の手段に人々を適応させるのに必要な知識を教えることを目的とはしていないのです。大学の目的は、熟練した法律家、医師、または技術者を養成することではなく、有能で教養ある人間を育成することにあります。

ミルは、‘一般教養教育’（general culture）を受けなくとも有能な弁護士になれるが、詳細な知識を詰め込んで暗記するのではなく、物事の原理を追求し把握しようとする哲学的な弁護士になるためには、一般教養が必要であるとする。そして、一般教養教育を次のように説明する。

> 一般教養教育とは、学生がすでに個別に学んできたことを包括的

にみる見方と関係づける仕方を教えるとされていますが、その最終段階においては、その諸科学の「体系化」、すなわち、人間の知性が既知のものから未知のものへと進むその進み方についての哲学的研究が含まれています。(略) 世界に実在する諸事実をいかにして発見するか、それが真の発見であるか否かを何によって検証するかを学ばなければなりません。これこそ、まごうかたなき、一般教養教育の極致であり、完成なのです。

この後ミルは、文学教育、科学教育など、各分野の教育の在り方について概説している。その中には、道徳教育、宗教教育、美学・芸術教育も取り上げられている。これらの論考は現在でも大いに参考となるのではなかろうか。とりわけ道徳教育と宗教教育に言及した部分は十分に今日的価値を有していると思われる。以下、つまみ食い的なるが、ミルの表現を切り取ろう。なお、引用にあたっては一部句読点を補った。

1)「大学は、すべての知識を、人生を価値あるものにする主要な手段として与えねばなりません。すなわち、われわれ各人が人類のために実際に役立つ人間になることと、人類そのものの品性を高める、つまり人間性を高貴にすることという二重の目的を達成するために与えねばなりません。」

2)「大学は、人類が蓄積してきた思想の宝庫を、事情の許す限り次の世代へと最大限に開放するという目的のために存在しているのです。」

3)「(大学は) 学生に、今日まで人類に実際に影響を与え続けてきた道徳哲学の主要な体系についての知識を授けるべきですし、また、学生は、各々の体系を支持する人々の意見に耳を傾けるべきです。」

4)「(略) 教師のなすべきことは、一つの論理体系の側に立ったり、他の体系すべてを排撃してその体系のみを強く擁護するのではなく、むしろ、それらすべての体系を、人類にもっとも有益な行為規則の確立と保持に役立てる努力をすることであります。」

‘思想の多様性’を前提にしたこれらミルによる指摘は、私自身納得できるものであり、本誌の企画者の依頼に対する回答の中心部分でもあると思う。しかしながら、現在の我が国の大学における教養教育は、これらを十分に反映したものになっているだろうか。

## 4－2　日本の大学人の学生への期待

私個人もこれまで、多くのところで教養を身に付けることの大事さを訴えてきた。例えば、2013年度より本学教育・学生支援部教務課で発行している「東北大学全学教育ガイド」の2013年度版と2016年度版の巻頭言の一部に、私は次のように記した[註9]。

皆さんは将来，大学で得た知識や知恵，そして様々な力を生かして社会へ貢献することが期待されています。この期待に応えるためには，“社会へ貢献する力”を養う必要があります。抽象的ですが，それは例えば，他人や他国を理解する力や，複数の人たちと協力・協調して仕事を進める力などのことです。また，専門分野に加え，幅広い学問分野の基礎的知識を身に付けること，さらには芸術を愛することなども加わります。言い換えれば，現代社会に生きる私たちが持っておくべき素養，すなわち“教養”を身につけることです。
(東北大学全学教育ガイド2013)

全学教育でコアとなるのは、教養教育（リベラルアーツ教育）です。自分のことや他者のことを知る人文科学、社会のことを知る社会科学、そして自然のことを知る自然科学、これらの分野の基礎知識を身につけ、真理の探究の仕方を学ぶための授業科目群を準備しています。皆さんは、最先端の専門知識とそれらを活用する力を得

> るために入学されたと思います。この目的を達成するための重要な基盤をつくるのが全学教育の役割です。本学は、皆さんが全学教育を楽しくかつ積極的に取り組めるよう、様々な工夫や仕組みを導入しています。皆さん、主体的に全学教育に取り組み、そして、楽しんでください。(東北大学全学教育ガイド 2016)

学生にとって、入学直後から行われる教養教育の重要性は理解しがたく、早く専門教育を受けたいと考えている人が多い。上記のような働きかけが、どれだけ成功しているか分からないが、私に限らず、多くの大学人は入学する学生に繰り返しその意義を伝えている。

東京工業大学は教養教育に力を入れている大学の一つである。2016 年には、同大の教養教育をよりいっそう強力に牽引するため、「リベラルアーツ研究教育院」を設置した。最近、同院に所属する先生方により、「大学で何を学ぶか」についての熱い思いを述べた本が刊行された[(註 10)]。その著者の一人、政治・歴史学者の中島岳志氏は、「教養はどのような時に役立つのか」と題して、教養の意義を述べた。福田恆存氏の「一匹と九十九匹」の論考を例に、自分の研究の立ち位置を紹介した後、「『九十九匹』のための実学、『一匹』のための教養」と題する最後の節で、次のように述べる。

> 私たちは、社会の安定と発展のために、専門知識を十分に学び、実学を貴(たっと)び、社会貢献ために努力すべきです。それはとても尊い営みです。特に理工系の学問は、これまでの技術では救うことのできなかった命を救い、不可能だと思われた念願をかなえることができます。とても素晴らしい仕事です。

中島氏は、しかし、私たちは、時に安定した日常を失い、実学的な知識が役に立たない状況に直面することもある、とする。その時は、手にしてきたお金や資格、地位などの世俗的価値も役に立たなくなる。すなわち、「私たちはすべて、『九十九匹』であり『一匹』でもある存在」であるとして、次のように続ける。

> これからの人生、何度か大きな挫折や悩みがやってくると思います。根源的な苦悩や危機に直面した時、残念ながら理工系の専門知識や実学はあまり役に立ちません。しかし、学生時代に触れた哲学書や小説、詩の一節、映画のワンシーン、音楽のなどが生きる支えになることがあります。
>
> リベラルアーツは平穏な日常においては、特に役立つことはありません。立身出世にもそれほど役に立ちません。お金も儲かりません。しかし、何らかの形で人生の前提が崩れた時、リベラルアーツ教育で得た「教養」が意味を持ちます。年齢を重ねた教員が、口をそろえて「学生時代に多くの物に触れてほしい」「様々な経験をしてほしい」というのはそのためです。専門知識とリベラルアーツは役に立つ位相が異なるのです。専門には専門の「場所」（トポス）があり、教養には教養の「場所」があるのです。

大学におけるもっとも重要な行事は、入学式と卒業式（学位記授与式）であり、その場で学長や総長から発せられたメッセージは、社会的な耳目をも集める。現在、各大学の学長や総長がどのようなメッセージを入学する学生に、あるいは社会にはばたく卒業生にしたかを、各大学のウェブサイトなどから知ることができる。

ここで2007年から2011年までの4年間、大阪大学総長を務められた臨床哲学者鷲田清一氏の式辞[註11]から、大学で学んで欲しいことについてのメッセージを見てみよう。鷲田氏は、どの年度の入学式でも教養を身に付けることの大切さを強調している。中でも2010年度の入学式で鷲田氏は、教養の大事さを多くの言葉を費やして訴えかけた。

これからの時代、たとえ国内問題のように見えても、実は国家を超えた要因が絡まり、単一の視点で見透かせるようなものはほとんどなく、したがって、‘タフな知性’が必要なのだとし、次のように続ける。

> 知性のこのタフさに必要なものは、何よりもまず、＜複眼＞を身につけるということです。一つの問題をさまざまの方向から照射し、問題を立体的に浮き彫りにしてゆける能力です。多くの学問が古来磨いてきたそれぞれに異なる問題設定の仕方を知っておくこと、あるいは異文化に学ぶこと、歴史に学ぶことも、「いま」自分の立っている「ここ」とは違う別の場所から、「いま」と「ここ」を見つめなおすことにつながります。そのような＜複眼＞のなかでこそ、世界はある奥行きをもって浮かび上がってくるのです。
>
> そして世界をこの奥行きに沿って見つめることができること、それが実は「教養」があるということなのです。みなさんが入ってこられた大学というところも、そのためにあります。大学にはみなさんがおそらくはまだ知らないさまざまな知識が膨大に蓄積されています。宇宙についての、自然についての、社会や文化、そしてそれらの歴史についての知識です。その大学で、過去の思想ともういちど対話しなおしたり、自分とは異質な他者のものの見方、感じ方に学んだりしながら、自分の世界を拡げてゆくこと、そしてこれまであたりまえのように見てきた世界をもっと別な視点からとらえなおすことで、世界を広げてゆくことが大学での勉学ではもっとも重要なことなのです。

本節のここまで述べてきた中に、本章で対象としている‘多様性’の言葉は直接には使われていない。しかし、私の文章の「他人や他国を理解する力や，複数の人たちと協力・協調して仕事を進める力」や、中島氏の「学生時代に触れた哲学書や小説、詩の一節、映画のワンシーン、音楽のなど」なる表現、そして鷲田氏の「一つの問題をさまざまの方向から照射し、問題を立体的に浮き彫りにしてゆける能力」なる表現は、多様な状態があることを認め、それを批判的に受容することを前提にしてこそ成り立つのではなかろうか。すなわち、多様性を自らが確認しつつ受け入れ、尊重する態度、あるいはその姿勢、あるいはマインドを育む教育が、教養教育であるということができるであろう。

京都大学・東京大学・電通育英会が、25歳から39歳までの全国の大学卒業者3000人を対象とした大学教育に対するアンケート調査結果が、2013年5月19日の読売新聞に報じられた(註12)。大学で「最も成長に影響を与えた教育」を振り返ってもらったところ,「教養の講義」が20.4%でトップだったという. 次に「卒業研究」17.9%で,「専門の講義や実験、実習など」は11.2%に過ぎず、「教養の講義」よりもずいぶん低かったとのことである。「教養科目は,（略）一般には不評と思われていたが,(略)『社会にでると,教養を身につける大切さを実感するからでは』と(調査した研究者は）説明している」というのである. 約20%という比率の高低はともかく、後年になって教養教育の重要性を実感できたという人が一定数いたということは、教養教育を担当する教員にとって勇気づけられるものである。

では、教養教育のカリキュラムに、教養を身に付けるものとして、具体的にどのような授業科目や仕組みを実装すればよいのであろうか。これを次節で探ってみたい。

## 第五節　教養教育カリキュラムへの実装

### 5－1　教養教育の見直し―新しい教養教育

我が国では、1991年にいわゆる大学教育の‘大綱化’がなされ、その後ほとんどの大学で教養部が解体された。この改革で、教養教育の位置づけが相対的に専門教育より低下したことは否めない。しかしながら、次第にその行き過ぎた措置に批判が集まり、2000年代に入るとその揺り戻しのように、教養教育の重要性が再び指摘されることとなった。以来、各大学で新しい教養教育を、どのような体系化されたカリキュラムで行うかについての模索が続けられている。

その動きの一つが、教養教育全般を運営する組織（共通教育責任部局などと総称される）とは別に、特徴ある教養教育を担う特別な組織の設置である。例えば、2006年には大阪大学にコミュニケーションデザイン・センター（以下、CSCDと略記、現在はCOデザインセンターに改組）が、2008年には東北大学に教養教育院が、2016年には東京工業大学にリベラルアーツ研究教育院が設置された。これらの組織により、従来にない新しい視点での教養教育が試行・実践されてきた。

大阪大学のCSCDは学生に対し次のように案内している[註13]。

> コミュニケーションデザイン・センターが提供するCSCD科目は、基本的に文理融合科目です。文系の学生も理系の学生も一緒に受けます。CSCD科目では、一方的に講義を聴くだけの授業はむしろ少ないです。グループディスカッションやワークショップ形式、また体験型の授業など、学部や研究科ではあまり経験できない参加型の授業が多数を占めます。CSCD科目を担当する教員のバックグラウンドは実に多彩です。科学技術コミュニケーション、医療人類学、町作り、臨床哲学等のアカデミシャンのみならず、劇作家、アートプロデューサ、映像クリエータ、看護士等々、総合大学でもなかなか授業では出会えない種類の人たちとも対話を楽しむことができます。CSCD科目は、あなたの「せっかく」を解決してくれるかもしれません。どうぞ、シラバスをじっくり眺めてみてください。

東北大学の教養教育院は、その役割を次のように述べている[註14]。「国境を越えて物と人が激しく流動している今日の世界では、政治・経済・社会・文化のあらゆる分野で、新しい発想と多彩なコラボレーションによって問題を解決していくことができるグローバル人材が求められています。また3.11東日本大震災からの復興には、問題を根本的に考えて適切な判断を下し、敏速に行動できるリーダーシップのある人材が求められています。大学でのこのような人材の育成の最初の段階を担うのが教養教育です」とし、「教養教育の中でも、初年次教育はとりわけ重要です。

高校までの『受験型勉強』という狭い枠に閉じ込められた知性を開放し、学ぶことの楽しさを知ってもらい、知的好奇心を高めることが初年次教育の目的です。(略）教養教育院の役割は、様々な創意工夫によって学生の学びへのモチベーションを高める授業を創り出し、教養教育改革の先導的な役割を果たすことです」とする。

また、東京工業大学のリベラルアーツ研究教育院は、「『学院』が提供する『理工系専門知識』という縦糸と、『リベラルアーツ研究教育院』が提供する『教養』という横糸で、東工大生の未来を紡ぎます」と謳い、「リベラルアーツ研究教育院は21世紀社会の時代的課題を把握し、その中での自らの役割を認識する『社会性』、自らを深く探究する『人間性』、行動し、挑戦、実現する『創造性』を兼ね備え、より良き未来社会を築く『志』のある人材を育成します」と宣言する(註15)。

当然のことであるが、ここで紹介した3組織ではそれぞれ異なる観点から、三者三様に現代にマッチした新たな教養教育を作るべく努力が払われている。ここに取り上げていない多くの大学でも同じような試みがなされているのではなかろうか。

この中で、新しい教養教育における「授業」の具体的な特徴・在り方には一定の方向性があるように思える。それらを私なりに挙げると、次のようになる。少人数教育であること、学問分野を狭く縛らない文理融合型のテーマが取り上げられること、初等中等教育で導入されている総合学習型授業の高等教育版であること、したがって、設定された課題では唯一の回答（正答）を求める授業ではないこと、座学だけではなく体験型・参加型の授業（アクティブラーニング）であること、大学初年次だけでなく高年次、さらには大学院まで射程に入れられていること、などである。

では、これらの中で、具体的にどのような授業が開発されたのであろうか。その一例として、演劇を用いたコミュニケーション能力を付ける教育を次節で見よう。

### 5－2　平田オリザ氏による演劇を用いたコミュニケーション教育

先述のように、大阪大学は2006年にCSCDを設置し、大学院生向けの教養教育をいち早く導入した。このセンターには当初より、劇作家の平田オリザ氏が教授（後に特任教授）として参加した。同氏はもともとワークショップという名の演劇講座を1990年代より行っており、高校の演劇部を指導することが多かったという。そんなとき、立ち上げを構想・指揮していた当時の副学長鷲田清一氏から、CSCDへの参加を要請されたのだという。同氏の著作[註16]から、演劇を用いた教育の意義と目指すところを概観したい。

平田氏は、演劇を教育の場に使うメリットを次のように表現する。「演劇は、常に他者を演ずることができる」「実際の体験教育ほどの効果はないかもしれないが、異文化、他者への接触をフィクションの力を借りシミュレート（疑似体験）することができる。」そして、「演劇は、自分を出発点とすることができる。無理に自己を変えるのではなく、自分と、演じるべき役柄の共有できる部分を見つけていくことによって、世間と折り合いをつける術を、子どもたちは学んでいく」とする。「実は、こういった考え方は、教育学の世界でも注目を集めている。これを通常、『シンパシーからエンパシーへ』と呼ぶ。エンパシーという英語は翻訳が難しいのだが、私は『同情から共感へ』『同一性から共有性へ』と呼んでいる」という。すなわち、演劇は、分かり合えないことを前提に、分かり合える部分を探っていく営みであり、「エンパシー型の教育」に大きな力を発揮すると。そして、平田氏は次のように述べる。

> シンパシーからエンパシーへ。同情から共感へ。これはいま、他の分野でも切実な問題となっている。
>
> 医療や福祉や教育現場で、多くの有為の若者たちが、「患者さんの気持ちがわからない」「障害を持った人たちの気持ちが理解できない」と絶望感にうちひしがれて、この世界を去っていく。真面目な子ほど、そのような傾向が強い。

> 患者さんや障害者の気持ちに同一化することは難しい。同情なぞは、もってのほかだ。しかし、患者の痛みを、障害者の苦しみや寂しさを、何らかの形で共有することはできるはずだ。私たち一人ひとりの中にも、それに近い痛みや苦しみがきっとあるはずだから。

欧米諸国では既に多くの大学に演劇や映画を扱う学部・部門があり、初等中等教育においても演劇を利用した「コミュニケーション教育」が盛んに行われているという。アジアでは韓国やシンガポールが一歩進んでおり、韓国は、2009 年度に 625 億ウォンの予算で、ほぼ 6 割の小中学校でその事業を実施しているという。

なお、最近の平田氏の著作によれば、兵庫県豊岡市の 38 の全小・中学校で、2017 年度より、平田氏の指導の下、演劇的手法を用いたコミュニケーション教育を導入しているという(註 17)。

平田氏の演劇を用いた教育の有用性についての上記の主張は、大変説得力のあるものではなかろうか。演劇を用いたコミュニケーション教育は、「不寛容な時代の教養教育」の有力な一つの候補であろう。

### 5 − 3　教養教育としての宗教学について

本章第三節で、ローマ帝国の衰退の要因の一つが、他宗教を認めないキリスト教の台頭であったと認識されていることを述べた。では、現在、キリスト教と他宗教との関係はどのように考えられているのだろうか、大変気になるところである。これについての言及が、山崎直司編著『教養教育と統合知』(註 18)の中で、竹内日祥・田中裕氏により「第 9 章 宗教間対話と存在論」としてなされている。以下、その概略を紹介する

ローマ・カトリック教会教皇ヨハネ 23 世（1881 − 1963、在位 1958 − 1963）は、1962 年から 1965 年にかけて「第 2 バチカン公会議」を招集した。50 年以上も前の会議であるが、現代にまで影響を与えている多くのことが議論され、20 世紀のカトリック教会史上、もっとも重要な会議であったとされている。

討議の結果、多くの議決文書（公文書）が発表されたが、その一つに「ノストラ・エターテ（nostra aetate ＝我々の時代に)」がある。田中氏によると、この文書は、ユダヤ教に対する教会の態度を明確にしたいということから議論が始まったが、最終的に、イスラム教、ヒンドゥ教、仏教、その他の「諸宗教に対するキリスト教会の関係についての宣言」として圧倒的多数によって可決され、ヨハネ 23 世の死去を受けて引き継いだ教皇パウロ 6 世（1897 － 1978、在位 1963 － 1978）によって、1965 年 10 月 28 日に交付されたものである。この文書を田中氏は次のように紹介する。

> 「ノストラ・エターテ」は、ヒンドゥ教と仏教のもたらした優れた宗教的文化的な遺産に言及した後で、インド、日本、中国での過去の長い宣教の歴史の反省を踏まえた上で、「普遍の教会は、これら諸宗教の中に見いだされる真実で尊いものを何一つ斥けない」こと、更には「他の諸宗教の信奉者との話し合いと協力を通して、キリスト教の生活と信仰を証明しながら、他の宗教の信奉者のもとに見いだされる精神的・道徳的な富ならびに社会的文化的な価値を認め、保存し、さらに推進すること」を勧告した。

日蓮宗の僧侶として他宗教との対話に参加している著者の一人竹内氏は、この文書の意義を次のように述べる。

> つまり、是において、世界に 12 億人と言われる信徒を持つローマ・カトリック教会が、異なる宗教同士が相互に対等な立場を認め合わねば成立しない「対話」を通して、人類の未来における永遠の平和と正しい秩序の為に貢献することを、全世界に公式に告げるに至ったのである。今日、世界の宗教界は、このカトリック教会の高潔な精神に基づく重大な歴史的決断に対し、心からの畏敬の念を抱いている。

次に、ローマ・カトリック教会のこの大英断が、夥しい数にのぼる多様な宗教の中でも受けて入れられていることを期待し、宗教の在り様を考究する宗教学の、教養教育における立ち位置を論じた島薗進氏による論考を見てみよう。

島薗氏は、同じ『教養教育と統合知』の中で、「第10章教養教育における宗教学の役割―教育環境の変化のなかで」と題して、「教養教育として、今、求められているのは、哲学や古典研究がもつ専門的な深みを生かしながら、また、生活現場に関わる実際的、実証的知識を大切にしながら、現代を生きる人間の実存的、また、公民的な問いに応答しうるような宗教学教育である」と主張する。

そして島薗氏は、宗教学教育には‘求心的’と‘遠心的’の二つの側面があると述べる。私なりの言葉を使えば、求心的とは‘自分が生きる意味を問うこと’であり、遠心的とは、‘社会という公共空間における多様な文化や思想の上で他者との協働を問うこと’である。宗教学教育の遠心的側面をもう少し説明する。原子力開発や万能細胞を用いた臓器開発など、現代科学を基に開発・導入された様々な最新の技術は、環境倫理や生命倫理に関わる課題を出現させた。これらの課題にどう対応すべきなのだろう。島薗氏は、「これらの現代的課題を考察すると、宗教文化や思想的伝統の多様性という問題に出会うことが少なくない」とし、ここにおいて、「学生は教養教育において宗教学を学ぶことによって、それぞれの専門領域において取り組むべき倫理的問題に、正面から向き合うための基礎を形作ることができるだろう」と期待を寄せる。理系を学ぶ学生にも、文系を学ぶ学生にも、価値観・倫理観の多様性を宗教文化に即して学ぶことは意義深いとする。

そして島薗氏は、論考を次のようにまとめる。

> 教養教育は倫理的な自覚をもち、社会的な責任を負う自由な個人として生きていく力を養うことを目指すものである。そこにおいて、「自己自身はなにものであるのか」を問い、また「多様な他者と

ともにいかに生きるのか」を問うことは不可欠である。宗教学は哲学や倫理学とともに、この課題を担う学術分野として重要な役割を担う。

教養教育における宗教学教育の立ち位置を論じた島薗氏の論考に、私は賛意を表するものである。現代を生きる誰にでも必要なものの観方と、多様性を受け入れる力を得るためのものとして。

### 5－4　大学としての気風（学風）

前の二つの小節で、新しい教養教育としての演劇によるコミュニケーション教育と宗教学教育の二つを紹介した。いずれもこれまでにはない方法論と視点からの教養教育である。このような教育がどの大学においても、そして、すべての学生に対して行われることが望ましいのであるが、残念ながら非現実的であると言わざるを得ない。

その理由の一つは、どちらも卓越した構想力と実践力を持つ著者ならではの教育だからである。方法論が分かれば、視点が分かれば、どんな教員にでもできるものではないからである。もう一つの理由は、仮にたとえそのような授業が設けられたとしても、演劇によるコミュニケーション教育では、大多数の学生を同時に相手にする授業にはなり得ないからである。それに対し宗教学教育は、多くの学生を相手に座学で出来るとはいえ、入学してきた多数の学生全員に、というわけにはいかないだろう。

では、どうすればいいのであろうか。それは、一人ひとりの教員が、たとえ扱う学問分野や方法論が異なっていたとしても、その基底に、思想とは言わないまでも同じような方向性、したがって同じような最終目標を持って教養教育にあたることではなかろうか。すなわち、この節の題に掲げた‘大学として気風（学風）’が重要なのではないか、ということである。

この点に関し、4－1節で取り上げたJ.S.ミルの演説の一節から、勇気を得ることができる。彼は次のように述べる。

> 大学が道徳的影響を学生に及ぼすことができるとするならば、それは特定な教育によるものでなく、大学全体にみなぎっている気風によるのです。大学でどんな学科が教えられようとも、それは義務感が浸透した教育でなければなりません。(4-1節の1) の引用部分が入る) 高貴な心情ほど教師から学生へと容易に感染していくものはありません。今までも、多くの学生たちは、一教授の強い影響を受けて、卑俗で利己的な目的を軽蔑し、この世界を自分が生まれたときよりも少しでも良いものにしてこの世を去りたいという高貴な待望を抱くようになり、そしてそのような気持ちを生涯持ち続けたのであります。

楽観的過ぎるのではないかとも思うが、大学全体にみなぎっている気風の役割を、その重要性を私は信じたい。本章の考察対象であれば、持つべき大学の気風とは、多様性の受容ということに他ならない。大学の存在が今日的意義を有するためにも、改めて教職員と学生全員による大学が持つ気風の共有化は、必要不可欠となる。

## おわりに

はじめにに述べたように、本稿は「不可視の思想のなかにもさまざまなレベルで現出している多様性に対し、教養教育が示唆することが可能な立ち位置を示す」ことであった。これに対して私は、日本を含めて世界中の国々そして社会は、現在様々なレベルで表出している事態に直面すると、多様性を認めきれず、不寛容な時代になっていると捉え、これを大学における教養教育で克服できるのだろうか、との問題に設定し直した。

この問いに対する結論は、いろいろな試みがなされているが切り札はなく、個々の教員の努力によってできる教養教育は、対応できる相手、すなわち学生の数という観点からは限られてくるので、大学全体の気風（学風）として多様性を重視する姿勢がみなぎっていることが肝要である、ということであった。

ことここに至っても、最初の問いへの正答はないとは分かりつつも、これで回答になっているのかどうか、不安を抱えている。ともあれ、繰り返しの主張になるが、平田オリザ氏の著作から、これからの時代はますます多様性を寛容に認めることが重要であると主張する箇所を引用しよう[註19]。

> 多文化共生とは何か。それは、企業、学校、自治体、国家など、およそどんな組織も、異なる文化、異なる価値観、異なる宗教を持った人びとが混在していた方が、最初はちょっと面倒くさくて大変だけれども、最終的には高いパフォーマンスを示すという考え方だろう。（略）成長型の社会では、ほぼ単一の文化、ほぼ単一の言語を有する日本民族は強い力を発揮した。しかし、成熟型の社会では、多様性こそ力となる。少なくとも、最新の生物学の研究成果が示すように、多様性こそが持続可能な社会を約束する。

本稿を閉じるにあたり、私の好きな金子みすゞ(1903 − 1930) の詩、「私と小鳥と鈴」を、P.D. ダッチャー氏によるその英訳とともに記したい[註20]。

もう誰もが知っているように、この詩の最後は「みんなちがって、みんないい」であるが、平田オリザ氏は異を唱える。同氏が教育に関する講演などをすると、「あ、金子みすゞですね。『みんなちがって、みんないい』ですね」と言う先生がかならずいるのだそうだ。しかし、平田氏は、上に引用した中にもあるように、「私はそうは思わない。そうではないのだ。『みんなちがって、たいへんだ』という話をしているのだ」と言うのだそうだ。そして、「しかし、この『たいへんさ』から、目を背けてはならない」と続ける。

ともあれ、人間だけではなく、動物も、無生物ですらも、自分を取り巻くすべての物を、自分と対比させつつ、無前提・無条件に受け入れる金子みすゞの姿勢ならぬ、その‘思想’に、私は感銘を受ける。

| | |
|---|---|
| 私と小鳥と鈴と | Me, a Songbird, and a Bell |
| | |
| 私が両手をひろげても、 | Spread my arms though I may |
| お空はちっとも飛べないが、 | I'll never fly up in the sky. |
| 飛べる小鳥は私のように、 | Songbirds fly but they can't run |
| 地面を速くは走れない。 | fast on the ground like I do. |
| | |
| 私がからだをゆすっても、 | Shake myself though I may |
| きれいな音は出ないけど、 | No pretty sound comes out. |
| あのなる鈴は私のように、 | Bells jingle but they don't know |
| たくさんな唄は知らないよ。 | Lots of songs like I do. |
| | |
| 鈴と、小鳥と、それから私、 | Bell, songbird, and me |
| みんなちがって、みんないい。 | All different, all just right. |

【註】

1）https://ja.wikipedia.org/wiki/（「生物多様性」や「生物の多様性に関する条約」の項目）
2）清和研二『多種共存の森－1000年続く森と林業の恵』築地書館、2013年、280頁。
3）塩野七生『ローマ人の物語Ⅰ－XI』新潮社、1992-2006年。
4）ギボン，エドワード（中倉玄喜 編訳）『【新訳】ローマ帝国衰亡史（上)』、PHP研究所、2008年、389頁。
5）塩野七生『ローマ人の物語Ⅰ－XI』新潮社、1992-2006年。
6）https://www.who.int/emergencies/diseases/novel-coronavirus-2019
7）石弘之『感染症の世界史』、KADOKAWA（角川ソフィア文庫）、2018年、372頁。
8）J.S. ミル／竹内一誠訳『大学教育について』岩波書店（岩波文庫）、2011年、177頁。
9）花輪公雄『東北大生の皆さんへ－教育と学生支援の新展開を目指して 正・続』東北大学出版会（東北大学ブックレット003／004)、2019年、114頁／106頁。

10）山田紀行編著『新・大学で何を学ぶか』岩波書店（岩波新書 912）、2020 年、195 頁。
11）鷲田清一『岐路の前に立つ君たちへ　鷲田清一式辞集』朝日出版社、2019 年、191 頁。
12）読売新聞（宮城県地区）、2013 年 5 月 19 日朝刊、教育欄の記事「教養の講義最も役に立った」.
13）http://www.cscd.osaka-u.ac.jp/index.php
14）http://www.las.tohoku.ac.jp/about
15）https://educ.titech.ac.jp/ila/about_us/
16）平田オリザ『わかりあえないことから―コミュニケーション能力とは何か』講談社（講談社現代新書）、2012 年、230 頁。
17）平田オリザ『22 世紀を見る君たちへ　これからを生きるための「練習問題」』講談社（講談社現代新書）、2020 年、247 頁。
18）山崎直司編著『教養教育と統合知』東京大学出版会、2018 年、275 頁。
19）平田オリザ『わかりあえないことから―コミュニケーション能力とは何か』講談社（講談社現代新書）、2012 年、230 頁。
20）矢崎節夫監修『没後 80 年 金子みすゞ～みんなちがって，みんないい』JULA 出版局、2010 年、127 頁。

# 第二部

# 異文化理解への眼差し

# 第五章　異文化の体験“coffee or tea?”

山谷　知行

## はじめに

若い時に、合わせて3年弱、博士研究員や日本学術振興会の特定国派遣研究員として北米に滞在しました。その時の体験と、大学に職を得てから、様々な国で開催された国際会議に40回程招待された体験をもとに、この文章を書きます。タイトルに“coffee or tea?”と付記しましたが、北米やヨーロッパなどの国々では、日本人の得意な曖昧さが無いという意味です。日本では、誰かの家に招かれたときは、招いた側がとくに好みを聞かずお茶とかコーヒーとか出すことがありますね。お客さんも、出されたものを頂きます。一方で、北米やヨーロッパでは、何が飲みたいか客が聞かれます。どちらでもいいという答え方（either will be fine とか no preference とか）もあることはありますが、それでは招いた人が困るので、どちらかを答えるのが一般的です。紅茶の国イギリスでは、tea will be nice などと答えると、コーヒーよりも喜ばれることが多いようです。「どの銘柄、ダージリンでいい？」とか、さらに聞かれることもあります。いずれにせよ欧米では、白か黒、右か左など、はっきりさせないといけない訳です。言い換えますと、何事に関しても、すぐに判断を求められるということです。ぼんやり生きてきた身にとっては、なかなかこれはつらいことでした。これ以外でも、普段の生活で面食らうことが結構ありました。もっとも、最近の日本では、欧米型が増えてきていますので、本書を読まれている方は“coffee or tea?”にすぐ答えられるかもしれません。

本章では、40年程前の欧米での体験をもとに、異文化を肌で感じ、途惑ったことなどを紹介します。異文化の理解の一助になれば、幸いです。40年前は、インターネットも携帯電話も全く発達していませんし、勿論、検索もできませんでした。外国で生活する日本人はごく少ない時代でしたので、何事に関しても日本代表になります。風俗・習慣・歴史・地理・宗教等から政治・経済・福祉・医療等などに至るまで、何でも聞かれます。「日本ではどう？」の質問に、語彙の少なさに加えて種々の理解の乏しさから、様々なことを英語で答えるのに大変苦労しました。勿論、電子辞書とか通訳のアプリなど無い時代です。例えば、病院で症状を説明することを考えて見て下さい。どこが、どのように異常なのか、説明するのは難しいですよね。

## 第一節　北米に留学して－カナダ（1）

本学の大学院博士課程を修了して学位取得後、日本学術振興会（JSPS）の特別研究員（PD、当時は奨励研究員と言いました）に採用されました。任期は2年間のみ、オイルショックのあとの景気がとても悪い時代で、しかも日本にはポスドクの制度そのものもJSPS以外には無い時代です。PDの更新はありませんし、海外学振もない頃です。大学等の教育研究機関へ、すぐ就職できる状況でも全くありませんでした。ですから、研究を継続したければ、外国に博士研究員として採用してもらう他、手立てはない時代です。PDに採用されてから1年半後、私が出国したのは1979年秋でした。幸いに、学術論文をいくつか書いていましたので、それを読んだカナダの教授が、声を掛けてくれました。実際は、論文の別刷りを送り、採用枠がないかどうかを尋ねた成果です。振り返れば、東洋の島国である日本から、会ったことも話したこともない人を採用するのは、採用側としては度胸が必要です。意に沿わない人を採用すれば、折角苦労して得た研究費を捨てることになりかねません。タイプライターで打った手紙のやりとりで、多少人柄はわかって貰えたのかもしれませんが、それにしても留学の機会を与えて頂いたボスに、とても感謝しております。

さて、留学に先立ち、カナダで働くためのビザが必要です。ビザ取得のために、厳密な健康診断も必要でしたが、当時の日本はまだ結核が多いと見なされていたせいか、胸部X線検査は、正面・側面・裏面からの撮影でした。カナダからみると、敗戦国の日本は後進国と思われていたに違いありません。結婚していましたので、家内も同様の検査を受けました。その後、東京のカナダ大使館でヒアリングを受け（勿論、英語）、無事にビザを取得できて安心しました。留学先は、カナダのオンタリオ州、トロント市とナイヤガラの中間あたりにあるハミルトンという街で、マクマスター大学（https://www.mcmaster.ca/）生物学科のO教授（女性です）研究室でした。とりあえず、10月から半年間の契約です。最悪、半年でも海外の研究を体験したいと思い決断しましたが、今振り返ると相当無茶な事だったかなとも思います。

飛行機の航続距離は今よりも短く、またLCCも無い時代ですので、最も運賃が安いハワイ経由ロサンゼルス行きの大韓航空で、初めて北米に降りました。ロサンゼルスで一泊したのですが、空港からダウンタウンにあるホテルに向かうタクシーの中で、運転手さんから、ここからは危険なのでドアをロックするようにと突然言われ、治安の悪さに驚かされたのが北米の第一印象です。翌日、ロサンゼルスからトロントに向かいましたが、飛行機で5時間もかかり、大陸の大きさを実感しました。トロントには、手紙で20：30に到着することを予め伝えてあり、ボスは空港まで青いレインコートを着て迎えにきてくれるということで安心しきっておりました。が、到着ロビーにはそれらしき人は見当たりません。空港の案内所で、アナウンスもして貰いましたが、現れません。1時間半ほど待ちましたが会えませんので、空港とホテルを結ぶ電話で部屋を予約し、ホテルのバスに乗って一泊しました。英語での会話は全くできない状況でしたので、今思うと、どのようにして意思を伝えることができたのか、どのように相手の言葉を理解出来たのか不思議でなりません。しかも、電話です。火事場の馬鹿力だったのでしょう。翌朝ボスに電話して、バスでトロント空港からハミルトンに向かいました。ボスによく聞いたところ、20：30を10：30pmと思ったようで、ボスは10：30pmに合わせて空港に来てくれたそうです。時刻の表記を、am や pm とするのが北米では普通であることを、その時初めて知りました。JR の表記は、今でも 20：30 ですよね。最初のカルチャーショックでした。

その日は研究室に顔をだして色々な手続きをして、大学近くのモーテルに泊まり、翌日は研究室の院生に案内されて、宿探し。なんとかダウンタウンに近いアパート（日本ではマンションといわれますが）を見つけることができました。アパートを借りると、次は電話や電気などの申し込み。アパートの管理人さんに聞きながらの手続きでしたが、電気をハイドロと言っていて、良くわかりません。実は、ナイヤガラの水力発電（hydroelectricity）がハイドロの由来とのことで、これも文化の違いでしょう。何日か暮らしてみて、日曜日はどこのお店も休みであること、土曜日にはファーマーズマーケットが開かれること、お酒は州政府直轄の販売店でしか買えないこと、どの商品にも英語とフランス語の表記があること、グローサリーストア（今のコンビニのようなお店）は日曜日でも開いていること、レストランでは外のテーブルが人気であること、などなど、生活習慣が随分違うことを実感しました。ケベック州では、フランス語が公用語ですので、カナダ全土でフランス語表記も必須とのこと。未だに、ケベック州はカナダからの独立の話題がでる所です。

当時のカナダは、移民の人たちに支えられていたと言っても過言ではありません。東ヨーロッパの紛争で、チェコスロバキア、ハンガリー、ポーランド、ユーゴスラビアなどから移民してきた人たちが多くいました。勿論、ベトナム、インド、台湾、香港などアジアの国からの人たちも多く、人種のルツボ状態でした。ですので、英語がそれほどできなくても、周りの人たちは親切に面倒を見てくれます。治安も良く、最初に住んだ国がカナダで本当に良かったと思っています。家内は、ダウンタウンの中で、色々な国からきた人たちに英語を教えてくれる学校に通い始め、どんどん上達していきました。ハミルトン市が支援している学校で、勿論無料です。一方、私は研究室で成果を出すべく実験に次ぐ実験、それなりの成果は出せましたが、話す機会が少なくて、なかなか英語は上達しません。うまく話せないので、実験台に向かっていたとも言えますが。それでも、大学での居室が一緒になった友人（nativeのカナダ人）のJさんからカナダの習慣などを含め様々なことを学ぶことができました。契約がきれる半年近くたった頃には、1:1での会話はなんとかできるようになりました。その友人には、「英語で夢を見ることができれば一人前」と言われ、さすがにそれは無理だろうと思っておりましたが、後日、本当に英語で夢を見るようになったのには驚いたものです。1:1レベルの会話では、電話の受け答えは無理です。電話は、相手の表情や身振りが見えません。日本人は、読み書きはなんとかなるので、今のようにメールがあれば助かったのでしょうが、当時は電話が中心で、困りました。本来は、聞く、話す、読む、書く、の順番で言葉を覚えますので、大して会話ができない私が論文の原稿を書いてボスに持っていったとき、本当にこの原稿をお前が書いたのかと非常に驚いていたのを、今でも思い出します。トロントの中華街に何度かバスで出かけましたが、アジアの食材が手に入ることや、レストランで中国語のメニューをみて、白人のお客さんが選べないような料理を頂くことができたことを思い出します。英語と中国語のメニューは、中身が違います。中国語は話せませんが漢字を見れば、材料や調理法などがある程度わかり、満足でした。隣の白人が、「メニューにないけど、なんですかその料理は？」とか聞かれたものです。以来、ヨーロッパに出かけた時も中華レストランでは中国語のメニューを出して貰い、不足しがちな緑黄色野菜も含め、はずれのない食事を楽しめました。

冬の時期は、1時間おくれの冬時間になりますが、それでも朝はどの車もヘッドライトを点けて動きます。夕方は、4時前に暗くなり、憂鬱な季節に来てしまったことを実感しました。ある日、雪が積もりました。この日は比較的気温が高めで、普段雪玉は作れないほど寒いのですが、その日は握ると雪玉ができます。研究室のみんなとお昼を食べたあと、「雪合戦しよう」と私が言ったところ、M2男性が野球のようにボールを投げた経験がないとのこと。その人は、アイスホッケー部に所属していたスポーツマンです。試しに私が投げて見せましたが、その院生の雪玉は確かに全く見当違いの所に飛んで行きます。こうするんだよと教えようとした所、”it's not my major”と断られました。この人は、「日本は、中国大陸の一部だろ」とも言っていました。地理も major ではなかったのでしょう。

ボスは独身です。当時の大学教授は女性も結構な割合でおられましたが、家庭との両立はやはり難しいのか、独身の方が多くいらっしゃいました。ボスは、良く研究室の人たちや友人を招いて、家でパーティを開いてくれました。誘われた私たちは、それぞれワイン1本を持ち寄るのがルールのようでした。ワインをみんなで飲みつつ、四方山話をするわけですが、これが1：1レベルのつらさで、なかなかあちこちに飛ぶ話題についていけません。突然、話を振られて、何も答えられなかったこともたびたびでした。それでも、皆さん、寛容です。学位を持っているので、話はできなくても仕事はできると思ってくれていた様子です。

そうこうしている内に、契約の半年が過ぎようとしていました。冬のナイヤガラにも出かけました。いわゆる観光地では、日本人の集団ツアーが結構いまして、あまりにも傍若無人な振る舞いに、私たち夫婦は日本人ではないという顔をして、そそくさと通り過ぎた記憶があります。半年過ぎても日本での就職口はありませんし、研究者の経験を積むためにもアメリカのミシガン州立大学の博士研究員に応募し、F教授の研究室で雇って貰うことになりました。トロントのアメリカ領事館でJ1ビザを取得して、レンタカーを借りてミシガン州のイーストランシングに向かいました。この時は、国際免許証を持っていましたので、比較的問題なく借りられ、しかも到着地で返却できるすぐれものでした。カナダでは、研究テーマが博士論文の続きのようなものでしたので、半年で学術論文3報も書くことができ、ボスは大いに喜んでいました。勿論、私もですが。話がうまくできないので、実験台に向かう時間が長く、良い成果に繋がったのでしょう。

## 第二節　北米に留学してーアメリカ

借りた車は、GMの多分V6エンジンの中型車、少ししかない家財をトランクと後部座席に積んで、カナダ・オンタリオ州の401号、402号線を通り、ミシガン州のサーニア、フリントを経由してイーストランシングに着きました。ミシガン州立大学（https://msu.edu/）のPlant Research Labという研究所のキャンパス駐車場に停めて、ボスのF教授に会いに行きました。その後、大学で持っている博士研究員用の宿舎に案内して貰うため駐車場に戻ったところ、ちょうど大学のレッカー車がレンタカーを運ぼうとしている所に遭遇。ボスが謝ってくれて、なんとかレッカーされずにすみました。無断駐車で、本来は罰金が必要だったとのこと。ミシガンでの最初のショックでした。レンタカーは、その後ランシング空港そばの店に無事返却でき、一安心。これから2度目のポスドク生活の開始です。

イーストランシングで、4月から翌年の11月末まで暮らし、アメリカの学会にも2度参加しました。ミシガン州の州都はランシング市でオールズモビルの自動車工場があり、製造業が盛んです。一方、住んでいる隣のイーストランシングは大学町です。治安は悪くなく安心でしたが、大学以外は何もない印象です。フルコースのゴルフ場が、キャンパス内に2カ所ある大きなキャンパスです。ちなみに、大学関係者は、確か3ドルだったと思いますが、適当なクラブを何本か借りてハーフコースを回る事ができました。二度ほど遊びましたが、私はそれまでゴルフをしたことがなく、後ろのグループに迷惑をかけた記憶があります。勿論、アメフト用のスタジアムや、関係者が通年で使える50mプールもあります。大分離れた所に大きなショッピングモールがあり、歩いていける所には、キャンパスのスーパーやセブンイレブンがある程度、当然車が必要です。多少持ってきたトラベラーズチェックで、クライスラー社のスモールV8を載せた中古車（ボスは、安くて大きくて燃費が悪い中古車をポスドクカーと言っていました）を買い、その車でアメリカの運転免許を取りました。国際免許証や日本の免許証を見せると、その辺をくるりと回っただけで免許がとれ、驚きました。もっとも、アメリカの道路は道幅が広く、歩道も広いので、事故はほとんど起こりません。大きな車で、燃費は街乗りで3km/l位、$CO_2$をまき散らして走るようです。日本での生活と大きく異なっていたのは、ほとんどの人が現金は僅かしか持たず、支払いはパーソナルチェックという個人の小切手で行うことでした。小切手で貰った給料は、キャンパス内にある銀行にあずけ、その銀行からパーソナルチェックの束を貰い、支払うたびに支払先・金額とサインを書いての処理です。現金を盗まれる心配はないものの、慣れるまで時間がかかりました。

アメリカの第一印象ですが、カナダと違い、英語ができないとまともに相手をして貰えないことでした。研究室の中では多少手加減してもらえますが、大学の事務をはじめ、街の生活においてもそれを実感します。アメリカは何でも世界で一番の国、そこに来たからにはアメリカ流儀に従いなさいというような感じでしょうか。あと、カナダに比較して、黒人の比率が多いことも実感しましたが、学生さんや教員にはあまりおりません。人種の格差を、肌で感じた印象です。国全体として、当時は情報の統制もされているような感覚を持ちました。例えば、新聞はお店で買えますが、国際性の高い中央紙は値段が高く、隣のネコがどうなった的なことを書いている地方紙は半額くらいで買えます。つまり、お金を出さないとそれなりの情報は得られないと言うことです。現在は、インターネットで何でも調べることができますので、もう当てはまらないと思いますが、当時はそういう状況でした。また、多くの店は、日曜日も勿論営業していますし、お酒もどこでも買えます。自由を表現していたのかも知れません。でも大学には、黒人やアジア系の教授はほとんどおらず、博士研究員を含め、労働者側と支配者側が大きく分かれている印象を受けました。それでも私は日本代表で、政治・経済をはじめあらゆる事を質問され、答えに窮したことが何度もありました。改めて、自分の専門だけで生きていくことはできないことを、この先1年半ほど痛感した次第です。幅広い、いわゆる教養が問われますね。当時のミシガンは、日本人はそれほど多くなく、皆さん、東洋の国に興味津々でした。この頃、中国から（多分、中国共産党員だと思いますが）アメリカを訪問する人たちが増えました。彼らは、一様に背広とネクタイ、余分なことは一切話さず、隣の国なのに違和感を覚えたものです。現在は、優秀な中国の研究者が欧米の研究室で研鑽を積んで、本国に戻って大きな成果をあげています。隔世の感があります。

英語圏での生活が1年ほど経つと、自分が話したいことは何とか伝えられるようになり、相手の話すことも理解できるようになります。でも、まだまだ電話は鬼門ですし、グループでの話は、話題があちこち飛びますので、なかなかついて行くのが大変です。この頃、自分はなんて下手な英語を話しているのかという事がわかり、愕然としたものです。会話に慣れてきたと言うことでしょう。でも、依然として夢は日本語でした。この頃、ちょうどセンサス（国勢調査）が電話で有り、何とか聞き取れたものの、答えるのに苦労した記憶があります。聞かれたことは、単純で家族構成とか国籍とか、留学の目的とかなのですが、それが電話では結構大変。研究所は、全米でも植物科学分野では大きな所で、毎週のように著名な研究者のセミナーがあり（一部は、採用面接も兼ねていました)、勿論研究所内や研究室内では毎週セミナーが有り、幅広い勉強ができました。素晴らしい環境です。色々な国出身の研究者がセミナーをしますので、それぞれのお国なまりの英語になります。でも、皆さんしっかりと伝わります。たくさん聞く内に、日本人の英語の弱点が見えてきました。それは、日本人の発音は、語尾がはっきりしない、あるいは語尾が消えるという点です。単語の、とくに大切な単語の語尾をしっかり発音することは、例えば複数形の“ｓ”を言うまでも無く、とても大切です。話を理解して貰いにくい理由が、文法とか言い回し・語彙とか、難しい事ではないという発見は、目から鱗でした。あと、難しいのは冠詞とyes/noですね。冠詞は、友達に聞いてもルールははっきりせず、話すあるいは書く文章の雰囲気だそうです。日本人には、わかるはずもありません。yes/noは、とっさの場合に困ることがありました。頭が英語の回路になっていれば、問題ない事なのですが、yes please と no thanks は重要です。研究所の当時のディレクターは、旧ソビエト連邦出身の方でした。彼は、その時代の植物科学における学術雑誌の双璧といわれた雑誌の編集長をされておりました。話し方はそれほど流暢ではありませんでしたが、アングロサクソンの研究者が書いた英語を添削することに至上の喜びを感じると話してくれたことがあります。アングロサクソンの上から目線に多少嫌気がでてきていた私にとって、素敵な話でした。なお、著名な先生ほど、上から目線は感じません。「実るほど　頭を垂れる　稲穂かな」でしょうか。

ミシガン滞在中に、参加者が数千人と言われるアメリカ植物生理学会に2度参加する機会を得ました。最初は、すぐ南のオハイオ州の州都コロンバス市、2度目は西海岸ワシントン州のプルマン市です。コロンバスまでは車で数時間、学会参加者は大勢おられましたが、黒人はほとんどおられません。残念な事です。学会後は休みを頂いてアパラチア山脈にあるグレート・スモーキー国立公園を経由して、ワシントン DC にいる友人を訪ねた旅行ができました。グレート・スモーキー国立公園は、山岳地帯で懐かしさを覚えました。ミシガンには山はありませんので、日本の景観を思い出し、帰国したいなと思った瞬間です。DC からの帰路、ピッツバーグの手前で車のエンジンが焼き付いて動かなくなり、AAA（日本の JAF に相当します）を呼んで近くの修理屋さんまでレッカーしてもらい、予定外の1泊を余儀なくされました。古い車でエンジンオイルが一緒に燃えていたらしく、オイル切れでした。日本の車のように車検や定期点検はありませんので、それ以来、車にはオイル缶も積んで、継ぎ足すことを心がけました。自動車社会ですが、全て自分の責任で乗るということでしょう。2度目は、アームトラック大陸横断鉄道を使って、シカゴからワシントン州のスポケーンまでの列車で片道3泊の旅行です。大陸横断鉄道は、期待した景色と異なり、往路のワイオミング経由の南回りは、一日目はトウモロコシ畑の中、二日目はコムギ畑と牧草地、三日目は砂漠と山岳地帯、実に変化の少ない景色でした。帰りはミルウォーキー経由の北回りでしたが、似たような風景で、日本の景色が如何にきれいなのか、実感した旅でした。ミシガンは、冬はハミルトンに匹敵するほど寒いのですが、夏は暑く、さらに竜巻が来ます。竜巻注意報とか竜巻警報がだされ、警報がでると研究所や学生寮の地下室に避難する指示が出されます。何度か逃げました。五大湖の色を写すのかどうかわかりませんが、空が緑色にそまり、不気味な色でした。漠然と、日本に戻りたいと本格的に考えたのは、北米滞在丸2年になろうとしていた頃です。英語は、なんとか会話できるようになりました。実は、景色もそうでしたが、食べ物や水になじめなくなってきたのです。現在のように流通は発達しておりませんので、海の魚が食べられません。水も、スーパーで買わないと、飲めた代物ではありません。異文化に慣れてきて、新鮮さがなくなってきたのかもしれません。かといって、北米でポジションを探す勇気も、アングロサクソンに負けない根性もありませんでした。人種的な差別はかなり実感しており、自由を謳歌し夢を実現できるアメリカとは思えない印象を持っておりました。一方で、現在とは異なり、日本の大学への就職は公募制ではありませんでしたので、何か良い機会がなければ期待できない状況です。この頃、本気で大型トラックの免許をとって、トラック野郎になることを考えました。

滞在2年目の夏頃に、たまたま岡山大学の先生から助手にならないかと声をかけられました。顔は知っている先生でしたが、個人的な面識は全くありませんでした。加えて、中国地方出身の方には申し訳ないのですが、岡山県と広島県とどちらが東側かも知りませんでした。"It's not my major!" 状態です。でも、非常に希な機会でしたので、すぐにお願いしたい旨の手紙を書きました。帰国するための航空運賃は、何とか貯めていましたが、またまた安い飛行機を探し、帰路の途中でサンフランシスコの友人宅に2泊させて貰いました。サンフランシスコのお寿司屋さん(日本人が経営)に飛び込み、脇目も振らず満腹になるまで寿司を堪能しましたが、お店の大将が、「随分、苦労されたんですね」と哀れむような目で話してくれたのが記憶にしっかり残っています。大きなカニも頂き、2年分の海の幸を食べた感じです。その後、中華航空（台湾の航空会社）で羽田に向かいましたが、CAの方が英語で話しかけてくるので英語で答えます。羽田に近づいて、日本人には手荷物の内容を申告するカードが配布され始めたところ、私たちの所は素通り、あわてて日本人であることを伝えてカードを貰いましたが、多分、羽田経由で東南アジアに戻る人と認識されたのでしょう。後ほど書きますが、私はフィリピン人によく間違えられます。

## 第三節　北米に留学してーカナダ（2）

貧乏な博士研究員としてカナダやアメリカですごしましたが、実は日本人の博士研究員には二種類ありました。当時、文部省では長期在外研究員制度が有り、大学等に在籍しながら、1年間あるいはそれ以上の期間、海外で研究できる制度です。各大学に人数が割り振られ、希望した順番で採用され、渡航費や生活費も支給されるという優れものです。従って、給料は二重取りになります。昔は、在外研究員で留学すると、家が建つとささやかれていたとか。北米にいた時にも、この制度を利用してこられる先生方は多く、実に優雅に今週末はあそこの国立公園に、再来週末はあの名所にと、生活レベルが私たちとは全く違う方々でした。帰国用の航空運賃を貯めなくてはいけない私たちには、非常に羨ましい立場の方々です。大分後になって東北大学に戻ってくることができ、私もこの制度に希望を出して順番を待っていましたが、私の順番になる前年に、この制度が文部省からなくなりました。残念！

さて、岡山大学に採用して頂いたので、恩返しをすべくかなり頑張って先生の意向に沿った研究をしていました。数年経って、自分らしい研究テーマを探したいことと、上記の羨ましい博士研究員のことも思い出し、文科省ではなくJSPSの特定国派遣研究員の制度に応募して見たところ、運良く採用され、再びカナダのマクマスター大学に9ヶ月滞在する機会を得ました。JSPSからは、往復の航空券（正規のエコノミークラス）と滞在費をもらえ、上記の羨ましい立場で過ごすことができました。正規の航空券ですのでビジネスクラスに変更できましたが、5才と3才の子供も連れて行きましたので、3席分のビジネスクラス料金は自腹です。今回は、今はないカナディアンパシフィック航空で、バンクーバー経由のトロント行きです。一度生活したことがある街でしたので全く不安はなく、快適でした。また、JSPSでは、見聞を広めるという名目でカナダ国内の旅行も認められており、友人がいたオタワ大学、スペリオル湖の湖畔サンダーベイ市にあるレイクヘッド大学、それにカナダ植物生理学会が開催されたサスカチュワン大学にも公用で訪問できるという、身分不相応ですが素晴らしい機会を得ました。

住んだのは、ダウンタウンと大学の中間にあるアパート、すぐ近くに幼稚園があり、早速子供二人の入園をお願いしたところ、なんと無償で受け入れてくれました。ハミルトン市の施設です。英語で夢を見なさいと言った友人のJさんも、その時は小さな会社を立ち上げてトロントとハミルトンの間にある街に住んでおり、彼のすすめで中古のフォルクスワーゲンラビット（日本名ではゴルフ）を買い、カナダの運転免許も取得。生活体制は、万全です。ちなみにドイツ車ですが、点検や車検の制度がないせいか、致命的ではないのですが、窓が閉まらないとかワイパーの洗浄液がでないとか、良く故障しました。日本車にすれば良かったと思いましたが、後の祭りです。私のライフワークとなるテーマを探しながら研究を開始して、研究室ではボスと二人で総説(1)や論文を書いた楽しい時間でした。幼稚園のイベントに参加したり、週末はJさん夫婦とミシガン湖まで行って水遊びやバーベキューを楽しんだり、最初の時とは一味違う体験です。子供達は、当然英語は話せませんでしたが、6ヶ月位過ぎた頃、突然nativeの発音で英語を話し出したのには驚かされました。お父さん、発音が違うよと指摘されていましたが、クリスマスに帰国して正月を過ぎた頃、子供達の英語はすっかり消えてしまったのには、さらに驚いたものです。夏休みにオタワ大学の友人を訪問し、その後、レンタカーを借りてケベック市まで出かけました。ケベック州は、フランス語が公用語です。ハンバーガーのチェーン店で何かを頼むと、英語を話せる人を連れてくるから待てという状態でした。後日、その話をJさんにしたところ、英語で話す白人にはサービスして貰えないということを話していました。いまだに、ケベック州は独立運動が盛んです。また、チェコスロバキア出身の友人が准教授をしていたレイクヘッド大学を訪問した際には、セミナーをしたあと、学内新聞の記者からインタビューをされ、新聞に「日本人研究者が来学」のような記事を書かれました。さすがに大都市から離れた街では、日本人は珍しかったのでしょう。この場合も、私は日本代表で、日本のことは何でもわかる範囲で答えなくてはいけません。教養が問われます。

さて、滞在中、ボスが出張で不在のおりに、講義を代講したことがあります。学部学生が相手でしたが、学生さんは日本の学生とは比較にならないほど真剣（失礼）に、下手な英語の講義を聴いて、また活発に質問します。学生さんからの評価もありますので、講義する側も全力で準備します。学生さんは、単位不足や良い点数を取れない場合、最悪、進級できず退学になる場合があります。従って、講義は、双方ともに真剣勝負。日本の大学との違いを、実感しました。マクマスター大学は、結構大きな大学ですが、学生さんの基礎学力は結構ばらつきがあります。ある日、研究室のM1の人に、「0.8Mの溶液10mlと0.2Mの溶液10mlを混ぜ合わせると1.0Mの溶液になりますか？」と質問されたことがあります。最初、何を聞かれたのか意味がわからず、何度か質問内容を聞き返した記憶があります。ストレートのスコッチから水割りを作るような作業なのですが、全くその意味を理解しないままM1になったということですね。その他にも、化学分析の原理とか多くのことを他の学生さんやテクニシャンからも聞かれ答えた結果、Tom（私のニックネーム）は何でも知っているという合い言葉が、研究室内に広まりました。この頃、英会話能力は小学校低学年程度にはできていたと思います。私がわからない時は、表現をかえてわかりやすく聞いてくれるので、結構十分かなと思った頃でした。英語で、夢を見られるようになったのもこの頃です。日本語と英語の会話能力、脳の思考回路が多分違うのでしょう。

## 第四節　国際学術集会での招待講演

1988年1月に東北大学農学部に異動して、「イネにおける無機態窒素の有機化反応の分子機構」をライフワークとして研究を開始しました。北米滞在経験から、イネは日本で研究すべき材料であることの意識を強め、トウモロコシやコムギは欧米の研究者にまかせたつもりで研究材料を設定しました。窒素に着目したのは、勿論、収量に最も影響が大きな栄養素だったからです。遺伝子を扱えるようになるのは、もう少し先のことでしたので、当初は主に有機化反応に関係するタンパク質に着目して研究を始めました。良い成果がでるまで、時間はかかりましたが、国際的にはイネの研究者は少なく、少しずつ成果が認められ、国際集会にも招待されるようになりました。招待講演の場合、昔は主催者から旅費や滞在費のサポート、場合によっては謝礼まででたこともありました。が、近年はせいぜい参加費の免除とか、招待という名誉だけの場合も増えてきています。さて、国際的に植物の窒素利用に関する研究会が二つあり、2010年に統一されるまで二つの会が開催されていました。この会以外にも、たくさんの研究集会があり、合計で40回ほど招かれて世界各国にでかける機会を得ました。それまで北米の経験しかありませんでしたが、歴史の長いヨーロッパを中心にして、異文化をさらに肌で感じることができたと思っています。

最初に招待講演を依頼されたのは、1997年でした[(2)]。窒素の国際集会の一つで、場所は米国フロリダ州タンパ市にある南フロリダ大学。研究開始から10年弱経っており、この依頼に大変喜びました。国際的に、研究が認められたということです。初めての招待講演ですので、念入りに話す内容やスライドを吟味し、普段それ程書かない発表原稿も、念入りに準備しました。会場では、学術論文の著者名でしか知らなかった多くの研究者に直接会って話すことができ、感激したことを鮮明に覚えています。さて、発表の順番が来て、登壇しました。当時は、スライドプロジェクターを使っており、今のような液晶プロジェクターの明るさとは異なり、会場は暗幕で囲われて真っ暗です。当時の日本では、講演者用に手元灯があるのですが、この会場には手元灯がありません。つまり、入念に準備した原稿を、全く読むことはできませんでした。ショックです。それでも英語を何とか話せましたので、原稿を読むこと無しに発表を終え、質疑にも答えることができ、事なきを得ました。最初にしては上出来です。この時の経験以来、講演の際やその他挨拶（部局長をしていましたので、挨拶が多い）の場面でも、一切原稿を書くことはやめて、スライドや聴衆を見ながら説明できるように努力しました。暗記することは、途中で思い出せなくなると後が続きませんので、薦めません。説明しやすく、わかりやすいスライドを作ることが重要です。

これ以来、ドイツ、イギリス、フランス、スペイン、ポルトガル、オランダ、スイス、オーストリア、ハンガリー、デンマーク等のヨーロッパ諸国、アジアではフィリピンや中国、南半球ではオーストラリアやチリなど、多くの国に出かける機会が増え、友人も世界各国に増えました。ヨーロッパが多かったのですが、あえてヨーロッパを選んでいたような気もします。これは、アメリカで強く感じた上から目線が、ヨーロッパでは少なかったことに起因しているように思えます。また、各国のお国なまりがある英語が、心地よかったからかもしれません。一方でイギリス英語は誇り高く、アメリカン、カナディアン、オーストラリアンなどと、他国の英語はクイーズイングリッシュとは異なるという意識が強いようで。それでも、日本語なまりの英語はしっかり許容してくれます。イギリスのエクセターで開催された王立生物学会で講演したときは、聴衆はほとんどがイギリス人で緊張しましたが、しっかり聞いてくれ、質問もたくさんされました。よくぞ英語で話してくれたとか、自分は日本語が全くできないのでとか、英国人は言ってくれます。なお、私も三度、国際会議を日本で主催し、恩返しをしたつもりでおります。最初は仙台で、2度目は奈良市で、３度目は愛知県の犬山市で。犬山市は、中部国際空港から名鉄一本で着き、また市をあげて国際会議の誘致を勧めていて、若干の支援も頂戴できました。でも交通の利便性とかの心配は全く必要なく、参加者は日本人以上に行くべき所を調べてきます。駅の案

**筆者が 2010 年に主催した国際会議の集合写真**

前列中央が筆者。それまでに、主に欧米諸国で開催されていた「植物の無機態窒素の吸収と同化」に関する二つの国際会議を統合し、第一回の会議として開催された。場所は、愛知県犬山市。2010 年 7 月 25 日から 30 日まで。約 200 名が参加し、半数は外国からの参加者であった。

内などが、英語でも書かれていることが多く、彼らには心配ないのでしょう。仙台で開催したときは、到着の翌朝に松島を見てきたとか、ホヤが食べたいとか、たくましい人がたくさんいました。彼らにとっての異文化を、楽しんでいたのでしょう。

非常に仲がいいドイツ人の飲み仲間ができ、ヨーロッパに出かけるときは、いつもフランクフルト空港経由にしています。彼のおかげで、コムギから造るビール（ヴァイツェン）があることを初めて知りました。少し、白く濁ったビールで、味は好き好きです。日本では、オオムギを使ったピルスナータイプのビール（下面発酵）が一般的ですが、ヨーロッパでは発酵法の違いで、エール（上面発酵）とか栄養価の高いギネスとか、様々なビールを楽しんでいます。食べ物に関係することを、少し紹介します。パリ近郊では、緯度が高いので昔はトマトが栽培できなかったそうです。ベルサイユ宮殿の庭園のなかに古いガラス室がありますが、これはトマトを栽培して皇帝に食べて貰うための施設だと説明を受けました。スコットランドでは、多分ブタの血液だと思いますが、ブラックプディングというプリンのような食べ物があり、私は手が出ませんでした。同様に、多分羊の内臓だと思いますが、それを材料にしたハギスも食べられませんでした。昔、高緯度に位置するスカンジナビアやイギリス、フランスが南進して、豊かな土地を求めた理由の一端がわかるような気もします。一方スペインやポルトガルでは、昼食からワインを飲み、長い昼休みをとった後、午後4：00ころから8：00頃まで働くのが一般らしく、国際集会も夜遅くまでありました。その後、夜中の12:00位までパーティをしますが、翌朝は皆さん8：00には会場にいて、彼らのパワーにいつも圧倒されます。オーストラリアでは、カンガルーとエミューの肉を食べました。なんか、申し訳ないと思いつつ。中国では、昆明から車で8時間揺られ、棚田を見に行ったことがあります。途中、昼食で、スズメバチの素揚げが出されました。現地の方にすすめられて、恐る恐る一匹食べてみましたが、エビの唐揚げのような味でした。羽も足も橙色の目もついていますので、一匹で勘弁して貰った記憶があります。強い蒸留酒を飲みながらでしたので、食べたのかもしれません。また、フィリピンで地元の飲み屋に連れて行ってもらったとき、お前はどの島から来たのかと言われて面食らったことを覚えています。私は日本人で、タガログ語は話せないと伝えましたが、フィリピンには何千もの島があって、タガログ語を話せないフィリピン人も多いとか、お前によく似た人を知っているとか、フィリピン人であるお墨付きを貰った気分です。外国出張で、危険な目に遭ったことがないのはこのせいかと、感謝した次第です。一番の長旅は、チリに出かけたときです。ヨーロッパ経由でも、北米経由でも、あるいはオーストラリア経由でも旅行時間は同じ事を初めて知り、さすがに日本の裏側と思った次第です。チリではステーキとか肉料理が中心でしたが、パサパサしてかたく、和牛の人気が世界中で高いわけがわかりました。北米でも牛肉はたくさん食べたのですが、考えてみるとレストランではあまり選ばなかったので、ここまでの印象はなかったのでしょう。ちなみに、赤ワインとピスコ（ブ

2001 年に開催された国際会議の懇親会風景

フランスのランスで、7 月 8 日から 12 日まで開催された。写真左は英国ランカスター大学のピーター　リー（Peter Lea）教授、右は英国ローザムステッド研究所のベンジャミン　ミフリン（Ben Miflin）教授。この二人は、筆者（写真中央）の窒素同化に関する研究の大先輩で、植物における窒素同化経路を確定した素晴らしい成果を世界で初めて示した。

ドウ果汁の蒸留酒）は絶品でした。

フランスのランス（Reims）で国際会議があったときだと記憶していますが、アラブ系の一般発表者が開口一番、私がここで発表できるのはアッラーのおかげと、持ち時間の3割ほどを使ってお祈りを始めたのには驚きました。周りの各国の参加者も、顔を見合わせていました。ランスはシャンパン発祥の地で、シャンパーニュ地方以外で造られた発泡ワインは、シャンパンの名称ではなくスパークリングワインと呼ぶと教えられたのが、この時です。国際集会に参加される先生方は、ご専門以外の知識が極めて豊富な方ばかりで、色々なことを教えて頂きました。例えば、カトリックとプロテスタントの違い、建築様式の違い、歴史の見方、各国の市民革命の前後など古いことから、現在の政治や経済のことまで、実に良く知っています。勿論、樹木や小鳥とかから、公園の作り方まで。この先生方は、表向きは、第二次大戦で敵同士になったドイツ・イタリアと他の国とか、ロシアと旧東ヨーロッパの国とかの歴史は引きずっていないように思えます。でも、多分どこかでは葛藤があるのかも知れませんね。日本がどのように見られているのか、私は全くわかりません。一方、ヨーロッパの国内で、違和感を覚えたことがあります。一つは、東西ドイツが一緒になったあとのドイツで、住居や生活レベルが見た目にも旧東ドイツは大変そうでした。英語もあまり通じなかった記憶があります。もう一つはイギリスです。スコットランドは、今でも独立を主張する人が大勢いますし、北アイルランドと同様に、独自の中央銀行があり、同じポンドですが紙幣も違います。スコットランドのポンド紙幣を使ってロンドン空港で買い物をしたとき、売ってはくれましたが紙幣を透かしてみて、本物かどうかの確認をしていたのが気になりました。地域の旗も違いますし、ウエールズでは言語も異なります。難しいですね。また、歴史的に世界一になったことがある国々は非常に誇りが高く、スペインやフランスの一般の方々は、英語を話さず母国語だけの対応です。スペインのレストランに行って、ビールを注文したかったのですがスペイン語がわからず、大変苦労してビールを飲めた記憶があります。息子に頼まれて、レアルマドリードのビジター用のサッカーシャツを街のスポーツ用品店に行ったとき、対応してくれた店の小父さんとスペイン語と日本語の会話（身振り手振りが中心）で、手に入れることができたときは感動ものでした。クレジットカードで支払った際に、小父さんが「カルタか？」と言っていて、改めて現在の日本語の中にスペイン語由来の言葉があることを認識しました。あと、違和感とは少し異なりますが、歴史的な建造物はどうしてあんなに大きいのでしょうね。大聖堂、教会、お城、などなど。日本も含め、世界共通です。支配者の力を見せつけるためでしょうか？

スペインのコルドバで、窒素の会議があったときです。ちょうど、サッカーのワールドカップの最中で、テレビ放送をしていました。本来、セッションが終わって夕食後は、研究の話をすることが多いのですが、この時ばかりは、皆さんテレビに釘付けです。勿論、私も。確か、ドイツ対南米のどこかの国（忘れました）。私は、過去に小学生相手ですが、サッカーの 4 級審判員の資格をもっていて、県大会などでも主審や副審をした経験が 15 年ほどあります。ルールは詳しいのですが、会議に参加されている先生方は、いずれも私以上に精通していて、驚きました。ルールだけではなく、戦術の分析も十分。それぞれ応援チームが決まっていて、自分の国の代表が、どうしたらトーナメントに残れるか、星取り表も熟知していました。リフティングを、軽くこなせる先生もおられました。改めて、サッカーがヨーロッパ発の競技であることを認識した次第です。

最後に、欧米の景観についての印象を書きます。日本には山岳地帯が都市の側にあり、天然林ではないとはいえ、森林地帯や里山が身近にあります。しかし、訪れた欧米では、比較的平面的な地形で、まず古来あった自然の状態を破壊して、その後に設計し直して農地や住宅地・公園などを造った印象を持ちました。例えば、大平原の農地や牧草地、河川から続く丘のブドウ畑、人工美の公園、スペインでは乾燥地に植えられたオリーブの樹などでしょうか。どちらかと言えば、自然と共生を目指す日本人とは異なり、自然を征服して都合の良いように作り替えるのが欧米人のように思えます。水田とは異なり、欧米では畑作です。スポット的に訪れた街の周辺や、車窓からの眺めだけでは詳しく語れませんが、それでも大規模な作物栽培の様子を垣間見ることができました。特定の一年性の作物（コムギ、トウモロコシ、ジャガイモなどです）を畑地で連続して栽培すると、いわゆる連作障害(3)が発生し、次第に成育不良となります。これは、土壌の栄養成分のアンバランス、特定の土壌病害菌や病害虫の増加、作物から分泌される物質の蓄積などに由来すると考えられています。一方水田では、湛水状態にありますので、このような悪影響を及ぼす原因物質や生物は流出するので連作障害はほとんど無いと言われています。連作障害を回避するため、欧米では輪作を行っています。栽培する作物の種類を周期的にかえる方法で、例えばコムギ→カブ→オオムギ→クローバーのように区画毎に作物を替え、場合によっては休耕地も加えたりします。とくにヨーロッパでは、区画毎に異なる作物を栽培している様子が広がる景色を見ることができます。アメリカでも、トウモロコシとダイズやワタを交替で栽培すると聞きました。連作障害の原因がわかる前の時代から、延々と続く人間の叡知に感動します。もう一つの大きな問題は、水です。欧米では、多くを地下水（滞留水）に依存しています。地下水には塩類も微量に含まれていて、毛管現象やポンプで地上にくみ上げられた場合、時間の経過とともに畑地に塩類が蓄積するようになり、作物生産に大きな影響を与えます。飲料水としても、施肥由来の硝酸が地下水に溶け込みますので、なかなか使いにくく、ペットボトルの飲料水が発達した理由がわかります。飲料水で使う場合は、紫外線ランプをあてて、発光していない（硝酸イオンは紫外線を吸収します）ことを確認してから利用しているようでした。硝酸イオンは、口の中の細菌で亜硝酸に還元され、この亜硝酸やさらに代謝されてできる化合物が心臓病やがんに関わると言われています(4)。一方日本では、地形が急峻で降水量が多いことから、仮に地下水からの塩類が集積しても雨で流れてしまいますので心配ありません。農業は、生産性や品質が優れている品種を集約的に栽培して、経営する産業です。みなさんは、ジャガイモ飢饉を知っていますでしょうか？ 19 世紀に、アイルランドで主要作物のジャガイモが病気で全滅し、大飢饉になりました(5)。多くの餓死者がでて、当時のアイルランドの人口の 10 － 20%が国外に移住したと言われています。生産性が高く食味が良い品種を集約的に栽培した結果、一種類の伝染性病原菌の感染で全滅したと考えられています。カナダやオーストラリア等には、その当時に移住した子孫の方々がおり、植物研究者の仲間にも、結構な頻度で見かけます。2020 年春からの新型コロナウイルス肺炎の世界的な蔓延で、人類は食料生産も含め、感染症や病虫害との戦いが続いていることを改めて実感しています。

## おわりに

北米に合計で 3 年弱滞在し、また約 40 回の国際研究集会に招待されてヨーロッパを中心とした各国に出かける機会を得たことで、人的なネットワークが幅広くでき、たくさんの友人ができました。同時に、異文化を肌で体験することができて、大きな財産になりました。文化や習慣が異なるとはいえ、人と人の関わり方は世界共通です。相互の信頼が、重要だと思います。卑下することなく、尊大にならず、ごく普通に接することができれば、しっかり対応して貰えます。ネットワークの大きさは、教育研究に携わってきた私にとりましては、極めて重要でした。私は、2012年から4年間、日本発の学術雑誌では世界的に高い評価を得ている日本植物生理学会の学術雑誌、Plant and Cell Physiology誌[(6)]の編集長を務めました。世界各国から、年間500を超える論文が投稿されてきます。編集長は、それらを読んで、掲載可能な内容であるかどうかを判断し、場合によっては直ちに却下、それ以外は編集にあたる世界中の植物生理学者に送って、掲載の可否や査読者に回す判断をして貰います。この編集者や査読者のお願いに、ネットワークは大活躍をしてくれました。相互の信頼がなくては、前に進めない重要な作業です。文化がそれぞれ異なっていても、目指すところは一緒であり、各国の研究者に大いに助けられました。また、この学術雑誌のManaging Editorをされている英国オックスフォードのLさんには、本当にお世話になりました。英語は、双方向の考えを伝える単なる手段です。経験が異なりますので、nativeのようにはまいりませんが、わかりやすい言葉で意思を伝えることが大切だと思っています。今も、難しいのはyes/noと単数・複数です。とっさの判断、日本語でも求められますので同じなのですが、それでも途惑うことが多々あります。経験的に、日本語の脳回路と英語の回路は違うような気がしています。英語の回路にすぐ繋がる日（時）と、なかなか繋がりにくい日とあります。でも、相手は待ってくれますので、大丈夫。外国の方々が話す日本語を、私たちは根気よく聞きますよね。同じです。

感染症が一日も早く収束し、安心してネットワークと友人の輪を広げて異文化を楽しむことができるよう、願っています。

## 引用文献等

1) Yamaya, T. and Oaks, A. (1988) Distribution of two isoforms of glutamine synthetase in bundle sheath and mesophyll cells of corn leaves. *Physiologia Plantarum* 72: 23-28.

2) Yamaya, T. (1997) Cellular localization of cytosolic glutamine synthetase and NADH-dependent glutamate synthase protein in rice plants, The 4th International Symposium "Nitrogen Assimilation: Molecular and Genetic Aspects", University of South Florida, Tampa, Florida, U.S.A. (May 3-9)

3) https://jspp.org/hiroba/q_and_a/detail.html?id=4326&key=&target=

4) Koch, C.D., Gladwin, M.T., Freeman, B.A., Lundberg, J.O., Weitzberg, E., Morris, A. (2017) Enterosalivary nitrate metabolism and microbiome: intersection of microbial metabolism, nitric oxide and diet in cardiac and pulmonary vascular health. *Free Radical Biology and Medicine* 105: 48-67.

5) https://www.britannica.com/event/Great-Famine-Irish-history
Great Famine in "Encyclopedia Britannica"

6) https://academic.oup.com/pcp

# 第六章　学生には旅をさせよ
## ——プエルトリコおよびスペイン語との関わりを振り返って——

志柿　光浩

将来の研究によって覆らぬかぎり、人間を成員とする存在で自明だといえるのは、人間一人一人か人類全体、この二つに限られる。これら二種類の存在の中間に位置するものは、出産直後の母親と新生児の組み合わせ以外全て、他者対我々という認識によって恣意的に構成されたものにすぎない。

（国際政治学者 D・ローネン
Dov Ronen. *The Quest for Self-Determination*. Yale University Press, 1979, p.9 拙訳）

常識とは 18 歳になるまでに人の心に沈殿した偏見の堆積物に過ぎない。

（A. アインシュタインによるとされる格言
https://quoteinvestigator.com/2014/04/29/common-sense/ 拙訳）

私たち西洋人に対してあなたがた東洋人は ...

（プエルトリコでしばしば耳にした表現）

## はじめに

モノゴトやヒト、そしてモノの見方に存在する多様性に気を配ること。そして自分が属さぬ他者の集団に見られる傾向を適切に理解すること、すなわち異文化理解。これらのことができるようになるには、どうすればよいか。本章では私がこれまでプエルトリコおよびスペイン語に関わる中で経験し、考えてきたことを記し、読者の参考に供することにしたい。

その際に本章では以下の 3 点に特に留意する。(1) 固定観念という認識の偏りと折り合いをつけていくこと、(2) 他人より自分や自分たちの見方が正しいと思いがちであることを自覚しておくこと、(3) 個々の人間や人間の集団、そして人間の創造物の間にある優劣関係を常に意識しておくこと、この3点である。

本章の結論は単純で、大学は学生がさまざまな経験を積むための旅に出かけるようにし向けてほしいということだ。ここでいう旅とは一定期間の滞在を含むものとして考える。そのような旅の中で学生たちは多様なモノゴトやヒトやモノの見方に接し、異文化を理解する手がかりを身につけていく。そのような経験を通して上記の3点に配慮しながら獲得したことこそが教養ではないのか、というのが本章の主旨だ。

## 第一節　三つの偏り

### 1.1　固定観念

冒頭に引用したダブ・ローネン（Dov Ronen）の指摘は、人間集団に論理的な境界が設定できないことを私たちに警告している。ローネンが例外とした出産直後の女性と新生児の関係さえ、代理出産が広まる中で自明のものとは言えなくなっている。多様性や異文化について考える際に、人間集団の定義と境界線に存在する恣意性の問題は極めて大きな意味を持つ。本章でとりあげるプエルトリコ人と呼ばれる人々の集団については特に問題が大きい。しかし私たちは集団を一括りにし、固定されたイメージをそれに付与してしまいがちだ。多様性の尊重や異文化の理解はそのような固定観念によって大きく阻害されることになる。

本章では固定観念という言葉を広く定義する。固定観念には偏見と呼ばれるものも含まれる。偏見は明らかに事実と異なるとみなされる認識だが、正しいと思われていることも固定観念に含まれうる。例えば学界の定説、教科書の記述、それぞれの集団で常識とされていること、これらも固定観念として扱う。定説を覆す発見や新説が報じられ、教科書の記述は修正され、常識もしばしば覆る。いずれもそれまでは「正しい」と思われていたことだ。

存在を認識しないことも固定観念に含めよう。多様性尊重を妨げる最大の障害は、多様なモノゴト・ヒト・モノの見方の存在が認識できていないことではないだろうか。存在を無視することの背景には、それらのものが存在することなど考慮するに値しないという固定観念がある。

固定観念の多くは他者が示したものを受け入れたものだ。学界の新参者は定説をまず勉強する。学習者は教科書の記述を受け入れないと落第してしまう。常識は、親・教師・仲間・世間などから少しずつ刷り込まれたものだ。このように固定観念の多くは集団が共有する認識の偏りであることが多い。

### 1.2　自分や自分たちが正しいと考える認識の偏り

次に引用したアルバート・アインシュタイン（Albert Einstein）によるとされる格言は、人間の認識の偏りについて別の角度から警鐘を鳴らしている。人間の世界認識はもともと偏っており、常識とみなされている共有知もご同様ということだ。常識は一定の集団にみられる共通認識なわけだが、偏りが多い。また常識とされているモノの見方がしばしば多様性を隠蔽・拒否し、異文化の理解を妨げる。プエルトリコについてもいろいろな面でそれが言えるし、スペイン語に関しても同じだ。

前項で挙げた固定観念の中で最も厄介なのは、自分や自分たちの認識は正しいのだという固定観念であろう。学界の定説や教科書の記述の正当性を主張し、それを受け入れない者を排除するような立場がこれに当たる。自分や自分たちの見方の正当性を疑わないことは、多様性尊重や異文化理解の最大の障害である。私も含め、そのような呪縛からの解放は不可能である。私たちにできることは、そのことを常に自覚し、できるだけ自分や自分たち以外の人々の観点を想像していくことであろう。

### 1.3　人間とその創造物の間にある優劣関係

三つ目の引用は、上記二つの引用が警告する問題とも関連するが、人間集団間にある優劣関係への注意を喚起するために挙げた。人類社会を西洋人と東洋人の二つのカテゴリーに二分できぬことはひとまず置くとして、いわゆる西洋人がいわゆる東洋人に対して優位に立つ場面はこの世界に多く見られたし、今も見られる。人間、人間集団、人間の創造物の間に優劣関係があることが、多様性尊重や異文化についての理解を妨げる。

私がプエルトリコでこの引用のような言い方をされた時に感じた違和感は、実は私がプエルトリコを日本よりも遅れた社会と見ていたこと、プエルトリコを西洋社会とはみなしていなかったことにも起因する。私がラテンアメリカについての勉強を始め、プエルトリコに関わり始めた1970年代は「第三世界」とか「アジア・アフリカ・ラテンアメリカ（Asia, Africa, Latin America: AALA)」という言葉が一定の重みを持っていた時代だった。そこにラテンアメリカは先進国ではなく西洋世界でもないという見方が含意されていたのは確かだ。日本でこれらの概念の洗礼を受けていた私は、プエルトリコで暮らす中で冒頭に引用したような言い方を聞き、ショックを受けた。ラテンアメリカは西洋である、プエルトリコは西洋であるとあちらの人々は認識しているのである。帝国主義論・植民地主義論・世界経済システム論・新植民地主義論などいろいろな世界認識・歴史認識があるが、あちらの普通の人々が自分たちは西洋人だと思っているということを、私たちは忘れてはいけない。ベネズエラの異端の言論人カルロス・ランヘル（Carlos Rangel）は『第三世界主義』（*El tercermundismo*. Monte Avila, 1970）などの著作でその問題に切り込んだ。人間集団の間に優劣を見出す人間のありかたを考慮せずに、多様性や異文化理解を論じても空しいばかりである。

これら3点は相互に関連し、入り混ざっている。以下に書き記していく逸話の数々でも、これら3点のいずれか一つだけが当てはまるというものは少ない。機械的に論点を当てはめることは敢えて避けながら話を進めていこうと思う。

# 第二節　プエルトリコ人とは誰のことか

プエルトリコ位置関係地図
（白地図は http://www.craftmap.box-i.net による。）

## 2.1　集団を定義することの難しさ

### 米国国勢調査とヒスパニック

本章のテーマの一つであるプエルトリコおよびプエルトリコ人は、19世紀末以来かなり特殊な状況に置かれてきた。それだけにプエルトリコやプエルトリコ人については、事実とは違うと思われる偏った認識が散見される。一方で、そのような偏った見方を振り返ってみることは、「くに」や「民族」といった概念がしばしば偏った世界認識を孕みがちであることを振り返る機会にもなる。

読者のみなさんはプエルトリコについてどのような知識を持ち、どのようなイメージを抱いているだろうか。ごく限られた人々を除いて、日本にいてプエルトリコについての情報を受け取る機会は少ない。もし何らかのイメージを持っていたとしても、偏りが生じている可能性が高い。プエルトリコについて限られたことしか知られていないのは日本だけではない。実はプエルトリコがその領土の一部をなし、プエルトリコ人が国籍を置く米国でも、プエルトリコやプエルトリコ人という概念を一定程度以上に理解している人は限られているのである。

国籍という概念はある程度まで定義可能だ。ある国家がある人間について自国国籍を有すると法的に認定すれば、その人は当該国籍を有すると言える。ただし、その国家の正統性が問われたり、居住地の国際法上の地位が確定しないと問題が生じる。実際、プエルトリコ住民は1898年から1917年まで国籍が宙ぶらりんだった。また、さまざまな事情から無国籍の状態に置かれている人々も日本を含め世界に少なくない。本章ではこれらの問題には立ち入らない。問題はそこから先である。米国国籍はともかく、アメリカ人という概念が定義困難であり、プエルトリコ人についても同様なのである。

10年ごとに行われる米国国勢調査（U.S. Census）を過去半世紀について追っていくと、この国が人種やエスニック・グループという概念についていろいろと試行錯誤してきたことがわかる。最新の2020年度の調査では、米国在住者を分類するのに性別・年齢・出生地・居住地・職業などに加え、人種（race）についての質問項目とは別に「ヒスパニック、ラティーノ、スペインの出自（Hispanic, Latino, or Spanish origin ）か」という質問項目が設けられている。一般に「ヒスパニック」と呼ばれるこの分類が最初に登場するのは1970年からだ。「メキシコ人、プエルトリコ人、キューバ人 ... の出自か」を聞く調査項目が、「白人、黒人、インディアン、日本人、中国人、ハワイアン ... か」についての調査項目とは独立して抽出調査に採用された。まだわずか50年前のことだ。

次の1980年の調査では全調査対象者に対して「スペインあるいはヒスパニックの出自か」という質問項目が設定された。Yesの場合は「メキシコ人・メキシコ系アメリカ人・チカーノ、プエルトリコ人、キューバ人、その他」から選択する形式だった。1990年の調査でもほぼ同形式だが、「その他」と答えた場合には具体的な国籍名を記入するようになった。また「白人、黒人、アメリカンインディアン …」であるかを聞く質問項目には「人種（Race）」という項目名が明記された。

さらに2000年の調査になると質問が「スペイン・ヒスパニック・ラティーノの出自か」となり、「ラティーノ」という呼称が初めて登場する。この年から、いずれかの選択肢から一つ選べという指示が消えている。人種に関する質問では「一つ以上の人種」を回答しろと明記されており、複数回答が明確に許容された。2010年調査では、表記の順番が「ヒスパニック、ラティーノ、スペインの出自か」に入れ替わり、2020年調査でも踏襲されている。調査票には明記されていないが、国勢調査局（U. S. Census Bureau）の資料では、この質問項目は「人種（Race）」に対して「エスニック出自（Ethnic origin）」として扱われている。

各世帯での使用言語について継続的な調査が始まったのも1970年の抽出調査からで、1980年の調査から全調査対象者についての質問となり、その後2005年から始まった恒常的抽出調査 American Community Survey に移されることになった。1980年以降の質問項目は「家庭で英語以外の言語を話すか、その場合何語か、英語は流暢に話すか（とても流暢・流暢・あまり流暢でない・全く話さない）」である。このように米国国勢調査に人種とは別の「ヒスパニックあるいはラティーノ」という区分や、英語以外の使用言語についての質問項目が導入された背景には、メキシコ人やプエルトリコ人をはじめたとしたスペイン語圏社会からの移住者の増大があった。

## 人間区分の恣意性

ここまで煩雑さを厭わず米国国勢調査における「人種」と「ヒスパニックの出自」に関する調査項目の変遷を見てきた。一つ思い浮かぶ疑問は、人種に関する調査項目の選択肢に「日本人」があり、「プエルトリコ人」がそれとは別の調査項目の選択肢にある点だ。「人種」とは何か、「ヒスパニックの出自」が「人種」とは別の範疇になるのはなぜかという疑問が生じる。

このような二重構造には米国に特徴的な歴史的・社会的な理由がある。米国国勢調査のデザインに沿っていくと、「非ヒスパニックで白人・非ヒスパニックで黒人・ヒスパニックで白人・ヒスパニックで黒人」といった異なる集団の分類が可能になるのである。ごく大まかに言えば、ヒスパニックと呼ばれる人々が増え始める前のアメリカ社会は白人と黒人という二分法で語られる傾向があった。そこにスペイン語を母語とするメキシコやプエルトリコの出身者が増え始める。これらの人々はそれぞれ肌の色は薄かったり濃かったりするし、アメリカ先住民の血を引く人も含まれるが、言語や文化的背景の点で白人や黒人とは異質と認められる集団だったのである。アメリカ社会の現状を全体的に把握する上で、それまでの白人と黒人の二分法では捉えられない三つ目の集団を捕捉する必要が生じ、それが具体化され、上にみた質問項目の導入と変遷に反映されてきたのである。

ところで国勢調査で集められるこれらのデータは全て調査対象世帯代表者による申告にもとづく。ある個人が「白人か・黒人か・プエルトリコ人か」は結局のところ誰にも客観的には決められない。自分は白人であると言うならば白人であり、プエルトリコ人であると言うならばプエルトリコ人だというのが国勢調査の前提である。それはそれとして、父親はプエルトリコ人で母親はカリブの隣の島のドミニカ共和国の出身だった場合はどうなるか。そういう人は実際多い。米国で生まれていれば国籍は米国なので、国籍で決めるわけにはいかない。自分で選択した帰属認識によるしかない。つまり恣意的に決めるしかないのである。

国勢調査の結果は、選挙区の区割りやさまざまな地域対策の予算配分の根拠として使われるので、住民の生活に直接関係する重要なデータだ。一方で、冒頭に引用したローネンの指摘のとおり、そこで用いられる分類はかなり恣意的な判断に基づいている。人を分類することの困難さとその有用性を天秤にかけながら私たちは生きていくしかなさそうである。人間社会にみられる多様性を尊重し、異文化を理解していく上で、常に念頭に置いておくべきことだろう。

## お前はプエルトリコ人ではない

ところで白人か黒人かという認識には米国とラテンアメリカでは大きな違いがある。米国では肌の色や髪の毛の縮れ具合など多少とも黒人の特徴をもつ容姿であれば黒人として扱われ、そのように自己を認識することが多いが、逆にラテンアメリカでは多少とも肌の色が薄ければ白人として扱われ、またそのように自己を認識することが多い。ただラテンアメリカでもどうみても白人とは言えないねというぐらいに肌の色が濃く、髪の毛が縮れていると黒人とみなされる。そしてそのことで差別を受ける可能性も高くなる。そのような容姿の違いは同じ両親から生まれた兄弟姉妹の間にもしばしば見られる。ピリ・トーマス（Piri Thomas）による『この薄汚い通りを通って』（Down These Mean Streets. Alfred A. Knopf, 1967）はニューヨークでキューバ人とプエルトリコ人の両親のもとに、母親や弟はそうではないのに自分は黒人とみなされる容姿を持って生まれてきたことから生じる葛藤を描いたメモワールである。

カリブ海の島々ではかつて奴隷制プランテーションが繁栄し、アメリカ南部と同様に多くの人々がアフリカから連れてこられ、今もその子孫が多く住んでいる。プエルトリコも例外ではなかったが、プランテーションの広がりがそれほどでもなく、内部山間地ではスペインからの移住者の子孫が小規模な農業を営むことも多かったために、他の島々に比べて黒人奴隷の血を引く人々の割合が少ない。これはカリブのいろいろな島々を訪れて実感できることである。プエルトリコ人を象徴するイメージはヒバロ（jíbaro）と呼ばれ、山間部に住み、どちらかと言えば白人で貧しいかつての小農のそれだ。そのような共有された自己像がある中で、黒人の容貌を持つピリ・トーマスは疎外感をいだかざるをえなかった。

プエルトリコ人であることを否定されるケースは、ほかの状況でもある。米国本土で長く暮らした後、島に戻ったときなどがそうだ。『私がプエルトリコ人だった頃』（英語版は *When I was Puerto Rican*. Addison Wesley, 1993、スペイン語版は Cuando era puertorriqueña. Vintage Books, 1994）と題する作品で、プエルトリコに生まれ幼少時にニューヨークに移り住んだ自分の半生を描いた女流作家エスメラルダ・サンティアゴ（Esmeralda Santiago）は、ハーバード大学を優秀な成績で終了した後に訪れたプエルトリコで「お前はもうプエルトリコ人ではない」と言われた体験を語っている。プエルトリコに住む人々からの同様の拒絶体験は、もう一つ世代が上で 1940 年代以降のニューヨークのプエルトリコ人コミュニティーの様子を少女の視点から描いた数々の作品を発表したブロンクス生まれのニコラサ・モール（Nicholasa Mohr）にとって重要なモチーフになっている。先に自分が黒人か、プエルトリコ人かといったことは恣意的に決まると書いたが、それはまた他人の認識にも左右されるものであることを改めて確認しておく必要がある。

本章ではプエルトリコ人と言う言葉が繰り返し出てくることになるが、実はプエルトリコ人とは誰を指すのか厳密に定義できないことをここで理解していただきたい。しかし「プエルトリコ人」という言葉を使わないことには、話ができないのである。これは「白人」とか「黒人」とかという言葉についても同様だ。

## 第三節　プエルトリコおよびスペイン語をめぐる旅

### 3.1　学生として

肥後もっこす

私は肥後熊本の生まれ育ちだ。「肥後もっこす」という言葉がある。熊本人に見られる「天の邪鬼（あまのじゃく）」な気質を指す。人と同じことを言ったり、したりすることをよしとしない気質である。県民性という概念は、日本人という集団内の多様性を示す一方で、同じ県民集団内に存在する多様性を覆い隠す機能も持っているから、気をつけて扱わなければならない。とはいえ改めて振り返ってみると、私の半生はこの「肥後もっこす」を地でいくものだった。プエルトリコを研究対象に選んだのもスペイン語に取り組むようになったのも、周りの人がやっていなかったことが関係していた。今思うと天の邪鬼であるという性格は多様性への志向を含んでいるかもしれない。

### プエルトリコおよびスペイン語との出会い

プエルトリコやスペイン語と関わりを持つようになった直接のきっかけは、大学１年生の時に履修した井出義光先生のアメリカ史の授業で出された書評レポート課題の題材として、清水知久著『アメリカ帝国』（亜紀書房、1968年）を選んだことだった。なぜこの本を選んだのかは覚えていない。読みながら、自分が米国の向こうに拡がるラテンアメリカ世界の存在について何も知らなかったことに気づきショックを受けた。その後、中川文雄先生のラテンアメリカ史の授業を履修し、興味が深まった。

私は筑波大学２期生だが、外国語大学などの一部の例外を除き、日本ではアメリカ史やラテンアメリカ史の授業が開設されている大学は少なかった。日本の大学で歴史と言えば日本史、東洋史、西洋史にわかれ、その中の西洋史はヨーロッパ史中心なのが一般的であり常識だった。その意味で筑波大学は常識から少し外れることを目指していたのかも知れない。ちなみにアメリカ史の井出先生もラテンアメリカ史の中川先生も東京大学教養学部のご出身であった。東京大学はアメリカ研究、その後ラテンアメリカ研究の拠点を作るなど、国立大学の中では例外的な大学であった。戦後の米国の影響が強かったものと思われる。またそれが旧東京帝国大学のあった本郷ではなく旧制第一高校のあった駒場でのことであることも無視しえない。ところで西洋史すなわちヨーロッパ史であるという固定観念は今は日本の大学から消えただろうか。

さて、スペイン語との出会いである。２年生の時の西洋史専門書講読を担当された西澤龍生先生が、たまたまその年はメキシコ史とスペイン史についてのスペイン語の読本を選ばれた。スペイン語を学んだことのない学生がいきなり訳読をする授業で、後年自分がスペイン語教師になってからも決して採用することのなかった教授法だが、文法書と辞書を繰りながら文章の意味を理解していくのは楽しかった。それと並行して自主的に語学自習室にも通い、米国で制作されたスペイン語学習用カセットテープ教材と取り組んだものである。1970年代当時はまだオーディオ・リンガル法（音声反復練習をとおして言語習得が可能と考える教授法）全盛で、サブスティテューション・ドリル（置き換え練習）に明け暮れたものだ。今の私の音声コミュニケーション重視のスペイン語指導法を見る人には想像がつかないかも知れないが、私自身は文法訳読法（文法を説明し目標言語の文を学習者の母語に訳させることを中心とした言語教授法）とオーディオリンガル法の洗礼を受けてスペイン語の世界に入ったのだった。いずれも当時としては言語教育の定石だったわけであり、その意味で一つの固定観念だったわけである。

ラテンアメリカ史の勉強のほうは、天の邪鬼がさらに進んでラテンアメリカの中でも小国ばかりのカリブ海地域に興味が惹かれるようになった。日本でカリブ海と言えば、当時はまだ革命後20年もたっていないキューバばかりが取り上げられていた。一方、アメリカ・スペイン戦争（米西戦争とも言う）で米国がスペイン帝国に引導を渡した1898年までキューバと共にスペインの植民地だったプエルトリコのことは、日本では取り上げられることがなかった。日本ではキューバは強く認識され、プエルトリコは無視されていたわけである。まさに認識の偏りが見られたわけだ。私の関心はプエルトリコに絞られていった。

### まずはメキシコに

大学院ではラテンアメリカ史を専攻した。現地に行かないことには埒が明かないので、当時ラテンアメリカ留学のための奨学金で最も採用確率が高かった日本・メキシコ交換留学制度に応募した。当時のメキシコは石油産出などを中心に経済成長が著しく、日本政府と相互に毎年100人ずつ10ヶ月間の留学奨学金を出し合っていた。幸い採用となりメキシコ市の国立メキシコ自治大学付属語学学校に配属され、メキシコ人家庭で1年間ホームスティをすることになる。1980年夏のことだった。

当時のメキシコの中流家庭では普通のことだったが、滞在先の家庭には女中さんがいた。私のステイ先は建ったばかりの近代的マンションの9階だったかにあったが、ダイニングキッチンの奥にはしっかりと女中さん用の居室が設計されていた。ところでこれはメキシコだけのことではなくて、後年スペインのガリシア地方でホームステイした時も、マンションのダイニングキッチンの奥に女中部屋が作ってあり、その部屋に滞在した。

メキシコ映画「ローマ」(原題 Roma. アルフォンソ・クアロン Alfonso Cuarón 監督、2018 年公開）は 2019 年の米国アカデミー賞で 3 賞を獲得するなど高く評価され、私も好きな映画だ。1970 年前後のメキシコ市の家庭で働く女中さんに視点を置いて監督の子供のころの情景が描かれるのだが、私の滞在時の記憶と重なるシーンが多い。ところで私がメキシコで体験した女中さんのいる生活は、戦前の日本ではさほど珍しいことではなかったはずだ。「女中さんがいる」ということの意味は社会や時代によって変わる。時代の変化はどのようにして世代の間で引き継がれていくものなのか、教壇に立ちながら時々考える。違う時代を生きてきた経験も人によって多様であり、違う経験を持つ人々は互いに異文化だと学生には話している。

もう一つメキシコで印象的だったのは、先住民の血を引くと思しきお母さんたちが幼子たちを連れて路上で物乞いをする姿が多かったことだ。その頃の私は語学学校でのスペイン語の授業には見切りをつけ、文学部のカリブ海域史の授業に出させてもらっていた。夜 7 時ごろに始まる授業で、ある日の夕刻に授業を受けていると教室の扉を開けて物乞いの母子の小集団がぞろぞろと入ってきた。「家に帰るお金がないんです。」先生や学生たちがもぞもぞとポケットから財布を出し始めると、お母さんたちは机の間を回って小銭を受け取り、出ていった。40 年前のことだ。今はそういう光景はないに違いない。メキシコ滞在中、物乞いをする人々の前を通るたびに小銭を出すのが自分の本心なのか、薄っぺらな同情なのかと自問が続いた。

この間キューバに 2 週間、プエルトリコに 1 週間の小旅行を試みた。

島国の山々の緑と海の青さの美しさに触れるとともに、いずれの訪問先でも短期間とはいえ物乞いの姿を見ずに過ごせたことに解放感を感じ、考えさせられるものがあった。この時の1週間の訪問が私のプエルトリコ島初体験だった。

プエルトリコへ

その後ロータリー財団の奨学金を得て首都サン・ファンにあるプエルトリコ大学リオ・ピエドラス校人文学部大学院歴史研究科に留学できることになった。1984年8月のことである。プエルトリコ大学は1903年創立の公立大学である。公立大学という言い方をしたのは、プエルトリコが州ではないので州立大学と言えないからだ。プエルトリコ政府から予算配分を受けて運営されている。先述のようにプエルトリコは1898年にスペイン主権下から米国主権下に移る。その2年後に、米国は島最初の高等教育機関である師範学校を設立し、さらに3年後には師範学校を母体としてプエルトリコ大学を設置した。スペインがその植民地プエルトリコに高等教育機関を作らなかったのとは対照的である。米国では1862年制定の法令を契機に19世紀半ば以降、各地に公立大学が作られ、その後各州の州立大学になっていく。プエルトリコ大学の設置にはその枠組みが適用された。緑のきれいなキャンパスで私の留学生活は始まった。留学が決まった時、周囲の人にプエルトリコに大学があるのかと訝られたものだ。そんなプエルトリコの大学で、私はこの20年あまり文部科学省が進める大学改革の中で用いられているいろいろな概念を一足先に学ぶことになる。

## 3.2　教師として

プエルトリコで教壇に立つ

プエルトリコ大学での留学生活を始めたものの、奨学金は10ヶ月で終わる。滞在を続ける方便はないものかと日本語を独学していたイタリア

プエルトリコ大学リオピエドラス校キャンパス（Wikimedia Commons より）

語教授の友人に相談したら、外国語学科長と掛け合ってくれた。受講希望者を一定数以上確保できたなら日本語担当講師として雇用してもいいということになった。

プエルトリコ大学の外国語科目には 1 クラス最大 20 名という制限が設けられていた。良心的で合理的な考え方だ。ただし、受講希望者が 10 名に満たない場合は不開講となる規定でもあった。一クラス 40 名を外国語科目の基準とするどこかの大学のことをつい皮肉ってみたくもなるのはこの経験があるからだ。新規開講を宣伝するポスターを貼り出すなどして準備したところ、予定した 2 クラスとも 20 名以上の受講希望者があり、めでたく開講となった。私の日本語教師としての門出であった。

プエルトリコ大学での教育経験はその後日本の大学に就職してから大いに役に立つことになる。日本語科目の開講にあたってシラバスというものをスペイン語で準備するように言われた。これは学生との契約書だからねと説明され、シラバスという概念を初めて知った。シラバスのほかにセメスターという言葉が普通に使われていた。セメスターはアメリカの大学では5科目ほどの授業を集中的に履修することとセットの概念である。セメスター制導入後も日本の大学では重要なその部分には目を向けず、学生がたくさんの科目を履修してせっせと単位を稼ぐのを容認したままだ。

ティーチング・アシスタントについてもプエルトリコ大学で学んだ。日本語の授業はこの制度に該当しなかったが、イタリア語、フランス語、ドイツ語などの科目には教師のほかに目標言語を母語とするアシスタントがいて、授業と別の時間帯に小さな教室で小グループでのやりとり練習を行っていた。その後、東北大学に移ってからティーチング・アシスタント制度が使えるようになり、プエルトリコ大学で見たことを参考に、母語話者授業補助者の活用についていろいろと工夫することになる。

シラバス、セメスター制、ティーチング・アシスタントなど、この20年ほどの間に日本の大学で行われている改革の基本概念は明らかに米国の大学制度を参考にしたものだが、プエルトリコ大学が米国領土の大学で、米国の大学認証機構の認証を得て運営されていたおかげで、私は昨今の大学改革で語られていることのいくつかについて、それが本来何を意図していて、実際にどう運用されるべきものなのかを前もって知ることができたことになる。

### チーノと呼ばれることについて

ところでメキシコでもそうだったし、プエルトリコでも、スペインでも、通りを歩いていると「チーノ（chino)」と呼ばれる。中国人（男性単数）という意味だ。あちらの人々にそのことを言うと、悪意はないのだと言うが明らかに蔑称である。「おいフランス人」と通りで叫ぶとは思えない。フランス領のグアドループ島の街を歩いていたら、店から出てきて私に出くわした男が「シノワ（Chinois)」と一言口にした。なるほどフランス語でもそうきたかと思ったものだ。プエルトリコで暮らしていた時、車で信号待ちをしていると窓を拭くから小銭をよこせという人々がいて、断ったら「お前は悪徳中国人だ」と言われた。「俺は日本人だ」と答えると「いやいや、お前は悪徳中国人だ」と言う。こうなるとどうしようもない。「私は日本人だ」と言ってみても意味はないのである。

プエルトリコ大学で長年柔道を教えている冨田宏美先生は「チーノ」と呼ばれると「何だキューバ人」と答えるのだという。そうすると相手は怒って「俺はキューバ人じゃない、プエルトリコ人だ」と言う。冨田先生はすかさず「もっと悪いじゃないか」と返す。相手は目を白黒させることになる。街を歩く人間に向かって「〜人！」と叫ぶことの非礼を自覚するきっかけにはなるよい方法だ。冒頭に掲げた「あなたがた東洋人は」という言い方の背景には、いろいろなものが蓄積されていると思う。異文化理解を深めるための方法を考える時に、相手がこちら側の文化を理解する気があるかどうかは重要な要素だ。

### 東北大学でのスペイン語教育

その後、長崎大学、静岡の常葉学園大学（現在は常葉大学）を経て、1995年に東北大学言語文化部に採用され、新たに開講されるになった全学教育スペイン語科目を担当することになった。この言語文化部という組織は、遡ること2年前の1993年に教養部廃止にともなって設置された組織である。この時に学部組織を直接に母体としない独立大学院である国際文化研究科および情報科学研究科も開設された。当時の事情は詳しく聞いていないが、ドイツ語に割り当てられていたポストをスペイン語に回して確保されたポストだった。それまで英語、ドイツ語、フランス語のほかロシア語、中国語、朝鮮語が東北大学の外国語科目として開講されていたが、さらにスペイン語科目を新設し、外国語教育の多様性を高めることが目指されたのだと理解している。

先にアメリカ史やラテンアメリカ史の授業は一部を除けば日本の大学では珍しかったと書いたが、スペイン語を開講している大学も、外国語学部のある大学や一部のキリスト教系私立大学などを除いては少なかった。大学の外国語と言えば、英語、ドイツ語、フランス語が常識という時代が日本では長く続いたのである。このことについては後で改めて取り上げる。

あれから25年がたつ。最初は20数名のクラスが2クラスのみで始まった東北大学のスペイン語教育だが、令和2年度（2020年度）には、一年生対象の基礎スペイン語科目が計16クラス、二年生対象の展開スペイン語科目が5クラス、2年生以上の希望者対象実践スペイン語クラスが2クラス開講されている。スペイン語を担当する専任教員は私を含め4名になった。東北大学は日本の大学における一つの固定的な傾向と袂を分かってきたと言えるかも知れない。

## 3.3　米国行脚

### 米国本土のプエルトリコ人コミュニティを訪ね歩く

私のプエルトリコ経験はずっとプエルトリコ島でのものだった。しかし、プエルトリコ人と呼ばれる人々はむしろプエルトリコ島外、いわゆる米国本土のほうが数が多い。プエルトリコ人と呼ばれる人間集団を理解するためには、プエルトリコ島だけを見ていてはだめだという思いから、米国各地に暮らすプエルトリコ出身の人々を訪ね歩くようになった。幸い2007年から2011年まで海外調査のための科学研究費補助金が支給されることになり、米国各地に散らばるプエルトリコ人集中地域を訪れることができた。具体的には146ページの図に示した地域である。

この米国行脚の中で実感したのは、プエルトリコ人コミュニティができている地域の多くが、20世紀半ばまでは繁栄していた地域だったということである。ボストンに近いローレンス（Lawrence）とニュージャージー州のパターソン（Patterson）はいずれもかつて紡績業で栄え、水力を紡績工場に利用するために川沿いに建てられた煉瓦造りの工場の廃墟が残る景観までもが似ている。かつて労働者たちが暮らした住居が今では安い家賃で借りられることから、多くのプエルトリコ人家族が集まる

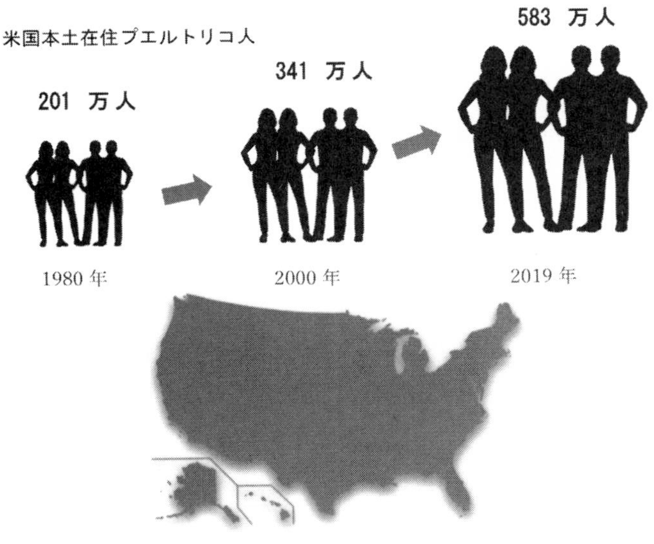


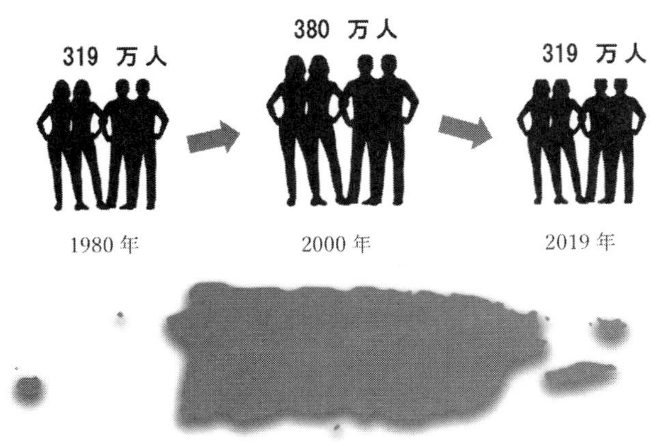


米国本土在住プエルトリコ人人口とプエルトリコの人口
(U.S.Census による。地図イラストは Wikimedia Commons。)

米国で訪問したプエルトリコ人コミュニティ所在地
（白地図は http://www.craftmap.box-i.net による。）

ようになった。マサチューセッツ西部、コネチカット川に面するスプリングフィールド（Springfield）は、米国独立戦争の時代から地方中核都市として繁栄し、ホリオーク（Holyoke）はその近郊に位置する。スプリングフィールドはバスケットボール発祥の地、ホリオークはバレーボール発祥の地として知られる。工場労働者が多く住む町にできたYMCAの活動からこれらのスポーツは生まれた。コネチカット川を少し下ると、船舶業を相手に保険会社が設立され「保険の中心地」の異名をとるコネチカット州都ハートフォード（Hartford）がある。それらの都市が今は米国内でも特にプエルトリコ人住民の比率の高い都市になっている。プエルトリコ人コミュニティを訪ねていたら、米国東部の産業史や都市発展史を学ぶ結果となった。

### ボストンで考えた言語のこと

東部の主要都市ボストンは米国史に重要な位置を占めてきた。実はこの街の中心部や周辺部にもプエルトリコ人が多い。先に挙げたローレンスもボストン中心部から車で30分ほどのところにある。都心のボストン・コモン公園から南西に20分ばかり歩いたところにビジャ・ビクトリア（Villa Victoria）と呼ばれるプエルトリコ人を中心にしたコミュニティがある。この地域のプエルトリコ人住民を主たる対象に安定した住環境を提供しようと計画されたもので、運営にもプエルトリコ人が関わっている。

その人たちにインタビューしていた時、「最近隣接するチャイナ・タウンから移り住む人が多くなったが、言葉が通じなくて困っている。通訳を引き受けてもらえないか」と頼まれた。異文化に関する認識の偏りは何も私たちだけに限った問題ではない。日本以外で日本人を含む東アジア出身者が「中国人」（スペイン語では chinos）と一括りにして認識され、時に蔑視の対象ともなることは先に記したとおりだ。だからこういう誤解はそれほど衝撃的ではないのだが、一定の見識を備えていると思われる人にまじめな顔で、中国語を話す人々との通訳をしてくれと頼まれるとやはり困ってしまうものである。私の顔を見ていると中国人というイメージとどうしても結びついてしまうのだろう。固定観念の頑健さには侮れないものがある。

もう一つ印象に残ったのは、インタビュー対象者として選んでもらった住民の青年のことである。それまでスタッフたちとのやりとりも含めてスペイン語で自然に話していたのに、インタビューは英語で受けたいと言って譲らなかったのである。このようなことはどの言語でも、どのような状況の移住者についても起こり得ることで、家庭でどれだけ親たちの母語で話しながら育ったとしても、多少ともフォーマルな場面では学校で身につけた言語でないと自信を持って話せないというケースは多い。こちらとしては英語よりもスペイン語のほうが楽なのだが、英語でのインタビューとなった。これはこの若者に限らないことで、米国での生活が長く仕事もずっと英語で続けてきた人たちには、スペイン語でのインタビューに負担を感じているように見える人々が少なくなかった。プエルトリコ人だからスペイン語ができるはずだと言うのも改めるべき固定観念である。

## プエルトリコの飛び地

移住者の集団にしばしばみられることだが、米国本土のプエルトリコ人は特定の地域に集中して住むことが多い。先に挙げたホリオークなどは人口4万人あまりのうち「ヒスパニック」が全体の52%、プエルトリコ人が全体の47%に達している（2018年米国国勢調査局推計）。何回か訪れたが、非プエルトリコ人の当時の市長はこの事実を手放しで喜んではいなかった。全体的にプエルトリコ人住民の所得は低く、かつてアイルランド人労働者たちが住んだ古い住居に住み着く人が多かった。そのようなプエルトリコ人の数が増えても町の発展にとってプラスとは捉えられない。一方、プエルトリコ出身で当時市会議員を務めていたディオスダード・ロペス（Diosdado López）氏は、プエルトリコ人市民がなかなか投票に行かず、またプエルトリコ人同士で対立することもあるために人口に見合った数の議員が選出されないことを嘆いていた。

飛び地といえばホリオークと対照的なのが南部フロリダ州の中央部、ディズニーワールドをはじめ観光遊興施設で有名なオーランド（Orlando）からほど近いオセオラ郡（Osceola County）の様子である。ここも郡全体の人口約34万人のうち、53%がヒスパニックで占められる。プエルトリコ人は全体の31%、ほぼ三分の一を占めている。この地域のプエルトリコ人の多くは1990年代以降に作られた中流家庭向けのニュータウンに住んでいる。ブエナ・ベントゥーラ・レイクス（Buena Ventura Lakes）地域に広がる広大なニュータウンは、プエルトリコによくあるそれをもっとこぎれいにした感じだ。スーパーマーケットに行けば、英語と共にスペイン語の表示もあるというよりは、スペイン語に加えて英語の表示もあるという印象を受ける。かつては職を求める貧しい移民のイメージで語られていたプエルトリコ島からの移住者だが、今はフロリダ半島の温暖な環境にプエルトリコ島の延長のような住環境を確保し、医療・教育・行政などのサービス部門に職を得て比較的安定した生活を送る人々も増えているのである。プエルトリコ人をめぐるイメージについても固定したものがありがちで注意が必要だ。

ところで米国のいろいろな地域を訪れて理解したことの一つが、米国では行政の広域化は進められておらず、市や町といった各地の地方自治体は昔ながら小さなままで、市議会や町議会は数名の議員で構成されているということだった。どの町にもしばしば高い塔を備えた議会ホールがあり、中学校で市役所のことを英語で city hall と言うのだと習ったことの意味が初めてわかった。プエルトリコ人のことを調べていて、米国地方行政の実態が多少とも理解できたのも、まさに人と違うことをやってきた結果であった。

## ハワイ・プランテーション

プエルトリコ人コミュニティ調査はハワイにも及んだ。プエルトリコが米国主権下に移された直後の1900年に世界の砂糖需要に沸くハワイの砂糖プランテーションへプエルトリコからの集団移民が組織され、彼らは同じくプランテーション労働者として移住してきた日本人たちとそこで共に労働し、生活することになる。ハワイ州オアフ島の体験施設、プランテーション・ビレッジ（Hawaii's Plantation Village）を訪れると、いろいろな国や地域からの移住者がハワイのプランテーションに集められた歴史についての展示があり、それぞれの出身国・地域が国旗などで示されている。そこで日の丸の旗とプエルトリコの旗が隣り同士に並んでいたのがとても印象的だった。

あまり接点のない日本とプエルトリコが太平洋で出会ったこの状況については、ハワイ移住プエルトリコ人３世の作家、ロドニー・モラレス（Rodney Morales）が短編小説に描いている（"Ship of Dreams," *The Speed of Darkness*. Bamboo Ridge Press, 1988 所収）。日本人移民の少年 Takeshi の視点で描かれたこの作品は、プエルトリコ人移民の少女への淡い想いをモチーフに1920年代のオアフ島のプランテーションでの生活を、日本語・英語・ピジン英語・スペイン語を混じえながら再現していて秀逸である。

### 米軍兵士としての日本経験

日本人とプエルトリコ人の接点に関していえば、プエルトリコ島や米国各地でプエルトリコ人の年配の方々と話しをしていると、米軍兵士として日本にいたことがあるという人たちにしばしば出会った。第二次世界大戦後に呉の江田島海軍兵学校に行っただとか、朝鮮戦争のさなか朝鮮半島で戦闘に参加している時に、佐世保で短い時間を過ごしホッとしたとか、そういう体験を語る人々と出会った。もっと若い世代では沖縄のビーチでバーベキューをしている一団からスペイン語でのやりとりが聞こえたので聞いてみたらプエルトリコの出身だったということもある。

プエルトリコ島生まれの人々は1917年に米国市民権を賦与されると同時に、徴兵制の対象ともなった。徴兵制が敷かれていない時も米軍に志願するプエルトリコ人は多く、兵役を通して日本のことを知るプエルトリコ人も少なくない。私は江田島海軍兵学校のことを知らなかったのだが、「日本人のくせに江田島海軍兵学校のことを知らないのか」と呆れられたことを思い出す。

## 3.4　スペイン探訪

スペイン語を学ぶ学生はスペインに興味を持っていることが多い。スペイン語教師としてスペインについても直接知っておかなければと出かけるようになった。20年ほど前に初めてスペインを訪れた時に印象的だったのは、道路工事の労働者が白人だったことだ。メキシコでもプエルトリコでも米国本土でも、人種と社会階層が連動した状況を見慣れていた。肉体労働をしているのは常に肌の色が濃い人々だったのである。今スペインに行くと、アフリカ大陸から移住してきた人がことのほか多いことに気づかされる。これはヨーロッパ全体で起きていることだ。そして東アジア出身者の姿も目立つ。

スペインといえばスペイン語と短絡的に捉えられることが多いが、スペインでは複数の言語が話されている。大きくは四つ、世界でスペイン語と呼ばれているカスティーリャ語、サグラダファミリア教会やサッカーの強豪チームFCバルセロナで有名なカタロニア地方および隣接するバレンシア地方で話されるカタロニア語、スペイン北部のバスク地方で話され、スペイン語との共通性がないバスク語、そしてポルトガル語とほぼ同じガリシア語である。とは言ってもスペインに行こうという方は心配する必要はない。どこに行ってもスペイン語は通じる。

ただ、かつてはスペイン語にカタロニア語も併記されていたバルセロナでも、街中のいろいろな表示はカタロニア語だけになった。バルセロナを抱えるカタロニア地域はこのところスペインからの独立をめぐって揺れている。これにはいろいろな背景がある。一つ気がかりなのは、カタロニアではスペイン語と似ているが独立した言語といえるカタロニア語を話す人が多数だが、スペインの他の地域から移り住んできた人も多いことだ。数年前にバルセロナを訪れた時に乗ったタクシーの運転手さんもスペイン南部の出身だった。カタロニアの独立を目指す運動はそこに住む人々の自決権の行使とはいえ、そこに住む人々が全て同じ背景を持つわけではないことをどう消化するのだろうか。自決権の連鎖はマトリョーシカのような入れ子構造をしており、ある少数派が自決権を行使すると、さらにその中の別の少数派が抑圧を感じることになりかねない。多様性の尊重が別のレベルの多様性の抑圧につながる可能性を私たちは忘れてはいけない。

## 第四節　大学とスペイン語

### 4.1　スペイン語とスペイン

スペイン語を教えていますと言うと、スペインの専門家だと短絡的にとられることがよくある。スペインは世界に領土を拡げ、そこに住んでいた人々を銃馬をものにして征服し、自分達がもたらした病疫で多くを死なせ、生き残った人々を隷属させ、子孫を残してきた。先住民が残らなかった地域ではアフリカ大陸から人間を運び、富の源泉となる労働を強制し、子孫を残してきた。そうやって作られたスペイン帝国の最後の植民地だったキューバ、プエルトリコ、フィリピンの一つに私は関心を持ち続けてきた。スペインの専門家ではない。

一方でスペイン語教師を業とする以上は、スペイン語全般に目配りをするのが務めだ。スペインのスペイン語についてもしっかりと配慮して指導に携わるのがスペイン語教師の責務である。スペインのスペイン語とラテンアメリカのスペイン語には大きな違いがあって、スペインのスペイン語では「君たち」という主語が普通に使われるが、ラテンアメリカでは「君たち」は消え、「あなたがた」が「君たち」に代用される。私はメキシコとプエルトリコでスペイン語を身につけたので、「君たち」を主語にした動詞の変化形を使うことがなかった。しかしスペイン行きを前提にした学習者を前にすれば、そんなことは言っていられない。「君たち」を主語にして話す訓練をする必要がある。ある時、日本の大学でスペイン語を教える南米出身の教師に「君たち」を主語にした動詞の変化形を教えているか聞いたところ、即座に「とんでもない」という答えが返ってきたことがある。それは間違っている。スペイン語は教師の所有物ではない。学生が何を必要としているか考えることが先決だ。

スペイン語を母語とする日本の大学のスペイン語教師が抱える問題点はここにある。自分が覚え、話してきたスペイン語しか知らないという問題だ。熊本弁しか知らない教師が日本語を教えているようなものだ。これはスペイン人のスペイン語教師についても言える。彼らにはラテンアメリカでは「君たち」という主語が使われないことを無視する傾向がある。それでは日本の大学でスペイン語を教えるための必要条件を満たしているとは言えない。スペイン語を客観視して指導にあたること、スペイン語の抱える多様性を把握していることがスペイン語教師たる必要条件である。

### 4.2　スペイン語はマイナーか？

25 年前に東北大学でスペイン語を教えるようになった最初の頃は、スペイン語の志望動機に「マイナーな言語なので敢えて選びました」というような答えが多かった時期があった。この 10 年ほどは「高校の先生にスペイン語は世界でもたくさん話す人がいると教わったので受講しました」といった回答が見られるようになった。スペイン語はマイナーな言語なのか、それともメジャーな言語なのか。どちらとも言えるというのが私の答えだ。

スペイン語を話す人の数からいうと、スペイン語は世界でも有数の言語だ。本章で強調してきたことでもあるが言語話者数などきちんと数えることはできない。正確な数字はわからないが、スペイン語話者はとても多いということはできる。ここで重要なことはメジャーかマイナーかは、人数が多数派か少数派かという話ではないということだ。奴隷制が行われていた地域では白人の数が黒人より少ないというのが当たり前だった。メジャーというのは人数の多寡に関わらず、その集団が社会の中で優位にあるという意味である。スペイン語話者は人類全体の中で優位にあると言えるだろうか。

今の人類社会で英語話者がさまざまな面で他の言語の話者に対して優位にたつことは明らかであろう。スペイン語はどうなのだろうか。優劣の現れ方はさまざまである。マイナーかメジャーかは数の問題ではないと書いたが、数がモノを言う場面も少なくない。米国でのヒスパニック人口の増加は予算配分や政策決定に影響している。国連の公用語にスペイン語が含まれるのは、連合国軍に参加したラテンアメリカの国々が多かったからだ。スペインが国連に加盟したのは1955年のことだった。いずれにしても、ある言語の重要度を測るにはさまざまな要素を考慮に入れることになる。恣意的な判断になるのは必然だ。

### 4.3　日本の大学におけるスペイン語

明治期の日本、そして日本の高等教育は英米独仏を模範とした。言語では英独仏である。大学予備教育機関であった高等中学校およびその改組後の旧制高校では言語は英独仏から選択し、西洋の地理歴史は英米独仏について学ぶことになっていた。当時スペインはすでに没落しており、スペインの植民地支配から独立したラテンアメリカ各国は未だ発展途上であった。世界列強に伍していくことを目指す日本においてスペイン語圏の国々は模範たりえず、スペイン語学習も必要とはされなかったのである。戦後のいわゆる旧帝国大学でのスペイン語専任教員採用で、東北大学は東京大学、名古屋大学についで3番目と比較的早かった。スペイン語の専任教員を置いている国立大学は当時も少なかったし、今もそれほど増えていない。

戦後、大学予備教育を担っていた旧制高校は新制大学の教養部に転換することになるが、英米独仏中心主義、英独仏語中心主義はそのまま継承された。これは明治維新から150年以上を経過した今でも変わらない。戦後は中国語も加わった。

大学で教えるべき言語は英独仏中であるという固定観念があるのは確かだろう。日本の大学でドイツ語を教える先生が、私がスペイン語教師だと知ると「スペイン語を開講すると学生がそちらに"流れる"ので、私の大学ではスペイン語は開講しないことにしている」という話をしていた。スペイン語教師の私にそのようなことを言う意図は判然としなかったが、そういう判断が日本の大学関係者の一部にあることは事実なのだろう。東北大学ではこれまでそうではなかったが、日本の大学で多様性尊重を阻んでいるのは既得権益に固執する教授たちなのではないかと思う。

## おわりに

私自身のプエルトリコ、プエルトリコ人、スペイン語をめぐる旅を改めて振り返ってみて到達した結論は、多様性を尊重することができ、異文化を理解することができる人間を大学が育てたいのならば、学生には旅をさせよということである。そして教養と異文化理解という視点から何か言えるとしたら、本章で挙げた3点に気を配りつつ旅の中で得た経験そのものが教養であるというのが私の主張だ。

多様性の尊重と異文化の理解を阻むものが、私たちの社会と文化の中に有形無形に埋め込まれている。大学もまた既定の世界観の再生産装置として機能しがちだ。しかし大学は既存の秩序を継承する人間を育てる温室ではなく、自ら新たな世界観の創出に向けて学生が旅立つための跳躍台でなければならないと私は思う。私立大学もある程度そうだが、国立大学には特に人々の血税が投入されている。その血税を固定観念の存続のためにのみ使ってはいけない。

たとえばの話だが、英米独仏文学の探求は日本でするよりはそれぞれの文学が育まれた現地でやればよい。英米独仏から学ぶことを目指した明治期の高等教育観は令和の時代にあっては消えなければならぬ。英米独仏文学に関して日本の大学がやるべきことは英米独仏に赴いて学ぶための予備教育である。留学先の社会における中等教育修了レベルの基礎知識と言語運用能力の養成をすればよい。逆に日本文学の研究は日本に来てやればよいのであって、英米独仏の大学では日本に来るための予備教育、日本の高校卒業者が持つべき基礎能力・基礎知識と日本語運用能力を養成してくれればよい。

英米独仏にだけ目を向けていられる時代はすでに遠のいた。大学がサハラ以南のアフリカを意識するならば英仏語に焦点を置きつつ各国・各地域の歴史・社会・文化の基本情報を解説しながら、学生がこの地域に出かけるのを助け、アラブ地域ならばアラビア語やペルシア語の基礎能力を身につける機会を用意し、南アジア、東南アジアであれば英語・ヒンドゥー語・インドネシア語などを学習する機会を用意するといったことが、学生の教養涵養のために日本の大学でできることであろう。

もう一つ、大学が提供できたらよいのではないかと思うのは、自分が生きているこの時代とは別の時代について想像力を働かせる感性を育む機会を提供することだ。簡単に言えば歴史を知ると言うことになるが、教科書の記述内容にはないような数十年前の人々の営みも含めた話である。身近な地域のこと、日本全体のこと、見知らぬ異国の地でのこと、どれをも含めた話である。スペイン語を学んだ学生の訪問先や留学先はスペインであることが多いが、スペインの歴史をどれだけの学生が意識しているのか心もとない。フランコ独裁体制が終わったのはもう50年ほど前のことになってしまったが、その端緒となったスペイン内戦は今もスペインの社会文化に影を落としている。75 年前の敗戦が日本の社会文化や国際関係に今も影響しているのと同じことだ。親や祖父の世代が経験したことに想像力を働かせることができるということも教養であろう。そのような教養を涵養するしくみを作っていくことも大学の仕事なのではないだろうか。

# 第七章　「臨床宗教師」の展開にみる異文化理解

鈴木　岩弓

## はじめに

早いもので、「東日本大震災」が起こってから10年が経つ。2011年の3月11日、午後2時46分に勃発したこの大震災は、①国内観測史上最大のM9.0の＜大地震＞、②遡上高40mに及ぶ＜大津波＞、そして③津波で制御不能となった＜原発事故＞の“想定外”の三要素で語られる未曾有な大災害である。警察庁の緊急災害警備本部は、震災直後より随時インターネットで被害情報を公開してきたが、2014年3月からはその情報更新が毎月10日頃の月一回に変更された。震災から丸三年を経たことで、人的被害や建物被害の把握はほぼ達成されたと判断されたからであろう。現在ではその更新はさらに三ヶ月に一度となり、2021年12月10日現在の最新情報では、全国の死者総数は15,899人、行方不明者総数は2,527人である。中でも死者が多かったのは、震源に面した岩手・宮城・福島三県で、これら三県の死者の合計は15,832人に及び、この震災の死者全体の99.6%を占めている。

震災被害の数値更新時期が間遠になってきた事実は、一見すると被災地の人々の生活が落ち着きを取り戻した証左と見えるかも知れない。しかし被害状況の数値が安定したからと言って、現地で生活する人々の気持ちも安定したとは必ずしも言えない。というのは、今挙げた一万六千に及ばんとする死者の大部分は、この震災が起こらなければ亡くなるはずのない人々だったからである。換言するなら、東日本大震災で大量死した犠牲者の多くは「突然死」で、中には自己の「死」を意識する暇もなくその命を終えた人も数多くいたことであろう。さらにそれら犠牲者の背後には、彼らと近しい関係にあった家族・親族・友人・知人が、犠牲者数の何倍・何十倍もの数いたことであろう。また身近に生じた「突然死」は、残された生者にとっても突然の別れであった。特に津波被災地にあっては、一家族から四人も五人もの死者が出たケースは稀ではなく、震災を生き抜いた生者が、たった一人で複数の「死」を受けとめねばならないことも珍しくない。さらには身近に生じた「死」の原因を生き残った自分の至らなさに帰して責任を感じ、未だにサバイバーズ・ギルト（survivor's guilt）に苛まれている人もいる。「十年一昔」という言葉があるが、されど10年。残された生者の間には、悔やんでも悔やみきれないさまざまな“負い目”が、今もなお消えずに残っている。

そうした震災被災者の心のケアについては、直後より全国各地からさまざまな手立てをもった人々が被災地を訪れ、ボランティア活動を中心に大きな支援を行ってきたことは周知のことである。その活動の中には医師・看護師・臨床心理士などによる心のケアと共に、宗教者による被災地支援活動が盛んに行われてきたことは、「オウム真理教事件」で宗教者に対する冷たい眼が広まっていた阪神・淡路大震災当時の被災者支援とは、大きく異なる点であった[（註1）]。

当時私が所属していた東北大学大学院文学研究科の宗教学研究室でも、被災者支援に従事していた地域の宗教者の活動を震災直後よりサポートし、「臨床宗教師」と呼ぶ新たな専門職の養成及びその社会実装を進める活動が進められてきた。「臨床宗教師」とは、自己の宗教の布教を目的とせず、医療機関や福祉施設、被災地などの公共機関において心のケアを提供する宗教者を意味しているが、そうした専門職を想定する背後には「宗教間協力」の志向が底流していた。「宗教間協力」がなされるには、多様な宗教の存在が前提されており、そうした異なる宗教に対する理解、ひいては異文化理解に通じる態度が準備される中で「臨床宗教師」が誕生し展開し社会実装されてきたのである。本稿では、文化事象の中でもより価値観が強く表出する傾向の強い“宗教の領域”を舞台に、東北大学から創出された「臨床宗教師」の展開を事例として「多様性と異文化理解」の問題を考えることにしたい。

## 第一節 「臨床宗教師」誕生前史

### 1.1 葛岡斎場における「心の相談室」

震災前の年間死者数が二万数千人で推移してきた宮城県におき、東日本大震災の起こった2011年の年間死者数は例年の1.5倍に迫る三万人超えを記録した。数多くの犠牲者の中には宗教者もおり、県内最多の寺院数をほこる曹洞宗では7人、また神社の神職には4人の死者が出ていた(註2)。震災で引き起こされた火葬場の機能低下のみならず、こうした宗教者の犠牲は、大量の犠牲者を出した一般の人びとの葬儀執行においても支障の生じる問題でもあった。震災直後に浮上してきた弔いに関わる不備の問題に気づいた社団法人仙台仏教会では、辛うじて機能が維持されていた仙台市の葛岡斎場におき、読経支援をするべく行動を起こした(註3)。この行動こそ、われわれの活動の原点ともなった「心の相談室」誕生の萌芽であった。

葛岡斎場における読経支援を企画した仙台仏教会は、3月15日に仙台市災害対策本部および仙台市環境衛生局との間で協議を行い、17日より読経支援をすることが認められた。とはいえ葛岡斎場は仙台市の施設、公共空間である。そこで、公共空間で宗教活動を実施する際の注意事項が改めて確認されることとなった。そこでのポイントは、憲法に保障された「信教の自由」に照らし、読経支援が布教とならない仕組みの確認であった。

仙台仏教会が作成した「震災支援火葬場マニュアル」では、市営斎場において僧侶が宗教的儀礼を行う際の留意点が七項目にまとめられた。これよりまず、「(1) 荼毘式読経対象者は今回の震災にて死亡した仏のみとする」とあって、今回の荼毘読経の対象者が、東日本大震災に関わる犠牲者に限定された。また遺体搬送して来た葬送業者に対する「(2) 葬祭業者との確認事項」の「①震災死亡者であるかどうか？」でも震災死亡者であることが再確認され、「②どこかの寺院の檀家に属しているかどうか？」、「③出棺時に菩提寺の和尚の読経がなされたかどうか？」が確認されることで、菩提寺による仏教儀礼が行われることなく搬入された遺体のみがここの荼毘読経の対象とされた。また「④どこの寺院檀家にも属していない場合でも、施主が荼毘の読経を希望しているかどうかを確認する」ことで、菩提寺がなくても施主が読経を希望しさえすれば受け付けられた。所依の経典は宗派ごとに異なるがゆえ、「(3) 荼毘式の読経は、宗派にこだわらず担当の僧侶に一任する」として読誦する経典は担当僧侶の裁量に任された。具体的な読経時間は（4）に「読経は十分にて終了する」とあり、また荼毘読経に対する「お布施は無償とし、受け取らない」（(2) ⑤）とされた。以上から、「信教の自由」として意識されたのは仏教と言う大括りの宗教で、宗派教派の多様性は問題とされていなかったことが窺える。こうした仙台市との調整を経ることで、「信教の自由」に抵触する諸問題を回避し、公営斎場内に僧侶が待機して檀家以外の死者対象の読経という仏教的行為を行う、異例の弔い形式が「読経ボランティア」として認められたわけである。その結果、「読経ボランティア」は4月30日までに515体の身元確認者に対して行われた。

他方で3月下旬からは、斎場に隣接した仙台市営葛岡墓園に急造された遺体安置所内の身元不明者の遺体への対応が問題化した。かかる身元不明者の遺体は、葛岡墓園の敷地内に急遽掘られた穴へ、4月3日から順次土葬されることとなったからである（註4）。それを知った仙台仏教会は、身元不明者に対する読経も行うべく、3月25日に仙台市環境衛生局との間で協議した。しかし今回は、身元確定者に対する弔い実施の時のように簡単には進まなかった。身元不明者への仏式読経は、日本国憲法第二〇条で謳う「信教の自由」の保障に抵触する虞があるとされたからである。つまり、これまでの「読経ボランティア」の対象は身元が明らかだったためその宗教的背景は把握でき、非仏教徒や無宗教であっても、施主が希望した事実をもって仏式の読経を行うことは可能であった。しかし身元不明者の場合、その宗教的背景を知る術はなく、「信教の自由は、何人に対してもこれを保障する」（第二〇条第一項）に含意される、特定の宗教の信仰を強制されない自由、及び特定の宗教的行為への参加を強制されない自由を保障する上からは、仏式の読経のみの弔いでは不適切と判断されたからである。

身元不明者に対する弔い問題は、3 月 24 日から「弔いプロジェクト」を始めた仙台キリスト教連合[註5]でも知るところとなり、26 日には仙台仏教会との間で話し合いがもたれた。その結果、仏教会の活動にキリスト教も加わり、この弔い活動を宮城県宗教法人連絡協議会（略称：宗法連）の主催事業と位置づけることで仙台市との折衝が始まった。宗法連とは、1972 年に設立された、宮城県独特の宗教法人を束ねる超宗派超宗教的団体である[註6]。つまり、身元不明者に対する弔いを仙台仏教会単独で行うことは特定宗教の対応として問題視されたが、これを多様な宗教が協働して行う事業に再編することで打開策が練られ、28 日には宗教者による斎場での弔いボランティアを「心の相談室」名で宗法連が組織化することとした。この経緯は仙台市にも伝えられ、4 月 1 日には、宗法連会長・日本基督教団仙台市民協会会長・社団法人仙台仏教会会長の連名で、「仙台市葛岡斎場使用要請嘆願書」が仙台市長宛に提出された[註7]。そこには「3 月 11 日に発生した東日本大震災にて、死亡された仙台市民の遺族親族への宗教的支援事業として、今回宮城県宗教法人協議会を主導としてキリスト教会、仏教会、有志寺院の協力を得て、下記日程期間、仙台市葛岡斎場の使用を嘆願いたします」とあり、その目的を「震災にて死亡された仙台市民の遺族親族への心のケア、宗教的相談、自殺防止等」におき、4 月 30 日までの毎日午前 10 時から 17 時まで、斎場の待合室の一部使用を願い出るものであった。

最終的にこの嘆願書は認められ、宗法連からの要請として 4 月 4 日より改めて葛岡斎場に「心の相談室」が開設された。ここには仏教・キリスト教・神道のみならず天理教や立正佼成会からも相談員が加わり、身元確認者への対応も拡充されることとなった。以後、市営斎場という公共空間におき、宮城県内の多様な宗教法人が協働した組織体、「心の相談室」が誕生し、「信教の自由」に留意した形の弔いが実現されることとなったのである。

ちなみに身元不明者に対する最初の弔いは、4 月 7 日に行われた。その時点では仙台市の火葬炉の能力が回復しており、予定されていた身元不明者の土葬は回避され、当日は僧侶が8体の火葬に立ち会った。翌8日には15体の身元不明者を僧侶と牧師が合同で荼毘に付し、25日には8体、26日には7体を仏教・キリスト教・神道合同で送り、使用期限の30日までに全部で38体の身元不明者の弔いを、「心の相談室」の事業として実施した。

身元不明者の弔いでは、複数の遺体が同時並行的に荼毘に付されたが、参列したのは、当日参加した各宗教の宗教者の他、火葬場職員であった。点火された火葬炉の扉前にそれぞれ宗教者が立ち、自己の宗教に基づく読経、祈りなどの弔い行動が手短になされ、終了すると交替して隣の火葬炉前で弔いを順次行った。最終的には全ての火葬炉の前で、参加した全宗教者が自分の宗派宗教のやり方で弔いを行った。

### 1.2　新生「心の相談室」

葛岡斎場への「宗教者」の参与は、上述したように4月末まで許可された。しかし3月中旬から超宗派超宗教的に連帯して震災犠牲者の弔いに対峙してきた宗教者たちの間からは、それまでの協働体勢を生かした形で、被災者に対する支援をさらに広範に継続できないものかとの意見が噴出し、5月以降の新生「心の相談室」設立が目指されることとなった。斎場で初対面の遺族を前に弔いを司祭した非常時の経験を通じ、彼らは布教や伝道活動とは別の、もっと普遍的・根源的レベルの“「宗教者」の力”に気づき、「宗教間協力」をもって「宗教の社会貢献」を推進することを目指すこととなったのである。その設立時には、私のいた東北大学の宗教学研究室に、事務局を引き受けて欲しい旨の依頼があった。宗教学に関わる限りは宗教に理解があり、国立大学で宗教学を研究しているのだから、一宗一派の護教学としてではなく、中立的立場からの宗教研究を行っていると判断されたからである。この間、未曾有の震災に対し、宗教学者としての専門的知識を生かした形で、何らかの支援活動に参加することは出来ないものかと模索していた私にとって、この誘いは予想もしていなかった“渡りに船”であった。またその結果、会議が宗教色の全くない国立大学の会議室で開催されてきたことも、参加する宗教者にとっては、心やすく参加出来ることでもあったのであろう。かかる状況を人に説明する際、私は「人を救う宗教者を、人を救えない宗教学者がサポートしている」と言い表していた。

5月2日、新生「心の相談室」による記者会見が、県庁内の宮城県政記者クラブで開かれた。こうした御大仰な方法で世に「心の相談室」の存在を問うことになったのは、われわれの活動が世間に知られておらず、被災者への周知が進まない苛立ち、焦りがあったためであった。この時の会議には宗法連会長はじめ各宗派宗教の宗教者、そして岡部健医師(註8)と事務局長の私が俗人として出席した。そこでは「心の相談室」設立の目的を、震災犠牲者の弔いから残された遺族への悲嘆ケアまで、一貫した切れ目の無いご遺族に対する支援を行うことであることが述べられた。従来までの日本では、死者の弔いは宗教者の責務と位置づけられてきたのであるが、今回のような大量死に直面した時には、その弔いは個別の宗教者が協働し、宗派宗教を越えて広く取り組むべき大きな課題となっている点が指摘された。

これまでの「心の相談室」は宗法連という宮城県下の二千を越える宗教法人のもとに構成されていたことから、その活動は「信教の自由」に抵触しないことが担保されていた。しかし新生「心の相談室」の活動主体は、宗法連に所属する一部の宗教者や医療者からなる有志集団に姿を変えたため、一宗一派の利益のための活動ではないことの保証が必要となった。そこで設置されたのが、「心の相談室を支える会」である。この会の会長は「仙台ターミナルケアを考える会」会長の吉永馨東北大学名誉教授で、実務的な代表として岡部健医師が室長を、事務局長を私が務めることでスタートした。また「関連する団体」として、これまでの活動で関係の深かった宗法連・仙台キリスト教連合・仙台いのちの電話・反貧困みやぎネットワークの名前が挙げられ、さらに世界宗教者平和会議(WCRP)日本委員会などの超宗派超宗教的団体も加入したことから「心の相談室」の宗教的中立性は担保されることとなった。さらには「心の相談室」の運動に対しては、淀川キリスト教病院名誉ホスピス長で当時金城学院大学学長であった柏木哲夫、諏訪中央病院名誉院長の鎌田實、龍谷大学名誉教授の信楽峻麿、宮城学院女子大学元学長の山形孝夫ら、これまで宗教的立場からグリーフケアやスピリチュアルケアに関わってきた多くの著名人が「賛同者」として名を連ねることとなったことから、以後、広く「宗教間協力」の下で行われている超宗派超宗教的活動であるとの社会的評価がなされるようになった。

新しく出発した「心の相談室」では、葛岡墓園の事務所における身元不明者の月命日の合同慰霊祭・電話相談・移動傾聴喫茶「カフェ・デ・モンク」・FM番組「カフェデモンク」(2011年10月から) などを通じた被災者支援が企画され、超宗派超宗教的な「宗教者」たちによる協働体制が始動した。こうして新生「心の相談室」は、宗教者が宗派教派を越えた宗教間協力のもとに協働し、死者の弔いや残された遺族に対する悲嘆ケアを行うと共に、医療支援や生活支援などを行う宗教団体以外の団体との協働も見据え、包括的ケアを行う活動であることが示され始めたのである。

しかし、いざ被災地に出向いて活動を開始するや、参加した「宗教者」は大きな壁に突き当たった。被災者の宗教とは異なる宗派宗教の「宗教者」が、布教の一線を越えずに心のケアを行うにはどうすべきか？と言う疑問である。「宗教」とは、突き詰めて言えば価値の問題である。それがとりわけ自己のアイデンティティと結びつく場合には、他者の宗教的価値に譲歩することはなかなか難しい。こころに傷を負った被災者に寄り添う際、価値観の異なる異宗派異教徒の「宗教者」は、いかなるスタンスで被災者に対峙すべきであるか。被災地の寺院は多くが曹洞宗のため、かかる地域に支援に入った浄土真宗の僧侶が、「ナンマンダブ (南無阿弥陀仏)」を称えるよう言ったら信者横取りの布教になるし、それ以前に被災者はナンマンダブの意味を理解できないかもしれない。そうした宗派宗教の教えの違いを尊重しつつ、被災者の心に宗教的側面から寄り添うにはどうしたら良いか、と言う疑問が被災地に入った「宗教者」の間から出されたのである。

実はこうした状況に対応する専門職として、キリスト教国の学校・病院・軍隊・刑務所などには、布教や伝道を目的とせずに人々に寄り添い、心のケアに従事する「チャプレン」と呼ばれる「宗教者」がいることが知られている。しかし宗教的文化背景の異なる日本では、チャプレンの用語はもちろん、チャプレンの仕事内容などに関する知名度は非常に低く、その養成や悲嘆の現場への定着はほとんど進んでいなかった。その意味で、東日本大震災時の被災地には、宗教的に価値中立的に被災者に対応するトレーニングを積んだ「宗教者」は多くはなかった。そこでこうした外国の宗教事情なども加味した上で、「心の相談室」の「宗教者」たちが抱える悩みに応えるべく、公共空間において布教・伝道ではなく、超宗派超宗教的に心のケアのできる「宗教者」の養成を目指して設置されたのが、東北大学大学院文学研究科の「実践宗教学寄附講座」であった。

## 第二節 「臨床宗教師」の養成

### 2.1 「臨床宗教師」の存在意義

改めて言うなら「臨床宗教師」とは、被災地や医療機関、福祉施設などの公共空間において、宗教的立場からこころのケアを提供する「宗教者」を指す。キリスト教国のチャプレンを意識した用語ではあるが、日本文化、とりわけ日本の多神教的宗教風土の中での普及を可能とするためには、イメージが固定されてしまう既存用語は避けることが求められた。それ故、キリスト教をイメージするチャプレンや、仏教をイメージするビハーラ僧といった名称は敢えて避け、「臨床宗教師」の名を造語してその養成をスタートしたのである。

見てきたように、「臨床宗教師」養成の直接的契機は東日本大震災で、身近に死者が出て悲嘆にくれている被災地の人々に対する“こころのケア”を行える新たな専門職を目指してスタートした。こうした動向を知ると、既に精神科医や臨床心理士が“こころのケア”を行っているのに、何故屋上屋を重ねるように「臨床宗教師」が必要なのか？と思われる方も多いであろう。われわれが考えているその決定的な違いは、「宗教者」はその職務上、「死」に纏わる心配事、「死」への怖れといった悩みに寄り添うことができる職能を専門的にもっている点にある。例えば「津波に呑まれて亡くなったお婆ちゃんはあの世でどうしているのか」と気に病む人がいた場合、「あの世」という非現実で不可視の世界を想定した文脈での質問に対し、医療関係者が同じ目線で対話することは難しい。「あの世」は、医療業務の次元では見出せない用語だからである。そうした時、他者の信仰世界に関わる話に共感的理解をもちつつ相手目線に立てるのは、「宗教者」である。なぜなら多くの宗教が想定する世界観では、現世のみならず死後世界が別に存在すると理解されており、「宗教者」となるためにはそうした教えに対する理解が前提されているからである。このことは、キリスト教・仏教・イスラームのように、民族や国家を越えてグローバルに広まっている宗教の教えの共通点が、いずれも死後世界を前提にした「現世拒否」の思想にあることを想起すれば良いであろう。多職種連携で“こころのケア”を行うに際し、精神科医や臨床心理士に加え、これまで触れられて来なかった「死」をめぐる領域の専門職の必要性が、非日常の災害時に頭を擡げたということでもあろう。

ならば、これまでも「宗教者」が存在してきた日本社会において、改めて「臨床宗教師」の養成をしなければならない理由は何であろうか？この点に関しては、わが国で永年培われてきた仏教を中心とした宗教史を振り返らねばならない。

現在、日本人の葬儀の91.5%は仏式で行われている（2014.1日本消費者協会）。この数値を見た外国人は、日本人は熱心な仏教徒だと考えるであろうが、仏式葬儀を出した経験者の多くは、自分が仏教徒であるとは意識しておらず、慣習・習俗だから仏式葬儀を行ったと考えることが多い。こうした状況は、江戸時代から始まった。キリスト教が現世は仮の姿だとする「現世拒否」の思想を持っていたことは先ほど述べたが、この教えが日本国内に広まると、士農工商の身分制度を推進する江戸幕府にとって不都合なため、切支丹は禁制となった。その対応策としてなされたのが寺請制度で、庶民は切支丹でないことの証明を寺の住職にしてもらうこととなり、家単位にそれぞれ決まった仏教寺院と寺檀関係、つまり檀家－檀那寺の関係を結ばなければならなくなった。この時の規制が現代にも影響を及ぼし、多くの家は、決まった寺と寺檀関係を取り結び、葬儀や法事を通じてその関係を継続している。これは檀家の家と寺との関係が、世代を超えて継続してきた“ホームの関係”であるため、寺の住職と檀家の人々は相互によく知っている共通基盤の上で交流するのが常であった。

しかし東日本大震災の被災地に遠方から赴いた「宗教者」が出会う被災者は、たとえ同じ宗派宗教の信者であったとしても初対面で共通基盤が薄く、異宗派異宗教の場合には、重なり所の殆ど無い“アウェイの関係”であった。“アウェイの関係”にある人々に対峙して、こころの傷に寄り添う行為はなかなか困難である。これまでのわが国では、「宗教者」となるための修行は、“ホームの関係”にある檀家や自分の宗派との関係の中で行われ、“アウェイの関係”にある人々の救済を想定した修行は行われてこなかった。つまり、既に「宗教者」と認定されている人々であっても、“アウェイの関係”にある被災地の人々に対峙する際には、それまでに受けてきた自分の宗教の修行とはちょっと異質な“プラスα”の要素を加味する必要が求められたのである。この“プラスα”の修行をシステマティックなカリキュラムを通じて実現すべく作られたのが、東北大学の「臨床宗教師」研修と言っても良いであろう。

### 2.2 実践宗教学寄附講座における「臨床宗教師」養成

東北大学の「実践宗教学寄附講座」は、震災翌年の2012年4月から二人の専任准教授を雇用し、鈴木が兼任教授を務めてスタートした。講座が目指す「臨床宗教師」養成のための研修は、次の四点の柱を学習目標に構成された。(1)「傾聴」「スピリチュアルケア」の能力向上、(2)「宗教間対話」「宗教協力」の能力向上、(3)「宗教者」以外の諸機関との連携方法習得、(4) 適切な「宗教的ケア」の方法習得。こうした目標を達成するため、平成29年度までの6年間は三ヶ月を一区切りとした研修を年二回実施した。一回の研修は全体会（三回）と実習（二回）で構成され、一回目の全体会は石巻、後の二回は仙台市内において、全員参加の二泊三日もしくは一泊二日の泊まり込み合宿で研修を行った。

合宿中には、座学として「臨床宗教師の倫理」「宗教間対話」「民間信仰論」「在宅緩和ケア」「精神保健と医療」「スピリチュアルケア」「宗教的ケア」「グリーフケア」「公共性の確保」「人権擁護」などの密度の濃い講義が行われると共に、「死の経験」「傾聴」「ロールプレイ」「日常儀礼」など、受講者が相互に協力し合って行われるグループワークが開講された。三回の全体会の狭間に二回ある約一ヵ月の間には、研修生は全国に散在している寄附講座と提携を結んだ病院などの施設に出向いて規定時間の実習を行う。研修生が個別に行う各施設での実習では、入院患者などに対する「傾聴」が重視される。その際の会話の詳細なやり取りを文字化し、その過程で何を感じたかなど受講生自身が自己を見つめた心の動きも客観的に記述して提出することが義務づけられている。このレポートは、次回の全体会で「会話記録」の授業の際に取りあげて検討され、教員からの細かい指導はもちろん、研修生相互の厳しい意見交換がなされる。かかる経験を経ることで研修生はしばしば自身の行動を相対化し、批判的に検討する機会をもつ。つまりこの研修は、自分自身を再認識する機会でもあって、研修最終日に「臨床宗教師」研修の受講証明書を受ける式では、初めて顔を合わせた時と人が変わったように見えることもある。とはいえ修了式では、これで「臨床宗教師」が完成したわけではなく、今後も年何回か各地で開催されているフォローアップ研修を受け、初心を忘れること無く常にブラシュアップを図ることが強く言い渡される。

東北大学で主催したこれまでの「臨床宗教師」研修では、2012年から2017年までの6年間に181名の「臨床宗教師」を輩出した。全国から参加した「宗教者」は、仏教系が八割、二十代から七十代の男性が八割を占めていた。修了後の仕事は、立場に応じてさまざまだが、住職として行ってきた本務が「臨床宗教師」研修後に、質的に深まったと考えている人も多い。さらには副住職のように当該宗教施設に複数の「宗教者」がいることから外に出て仕事をすることが可能な場合、各地の緩和ケア病棟や介護施設にボランティアや職員として入る場合も珍しくは無い。その際には、「臨床宗教師」の名を前面に出して雇用されている場合も多い。特に 2017 年 4 月からは公立病院である東北大学附属病院の緩和ケアにおける雇用が始まり、公共空間における「宗教者」の役割に対する社会的な理解が大きく進み出した感がある。

### 2.3 「臨床宗教師」の展開

東日本大震災以後、被災地にある東北大学で始まった「臨床宗教師」養成の動きは、まずは「宗教者」から歓迎され、東北大学の寄附講座へのご寄附は宗派宗教を超えた多くの教団や組織そして個人の方々から多数頂くこととなった。こうした応援を頂く背後には、近世・近代以降の日本の宗教史から生じた「宗教」に対する負のイメージを払拭し、「宗教」本来がもつ社会に対する機能の復権を目指そうという、宗教関係者の素朴な気持ちが籠もっている。そうした気持ちは全国各地の宗門大学でも形となって拡大しており、現在では龍谷大学・鶴見大学・高野山大学・種智院大学・上智大学・武蔵野大学・愛知学院大学・大正大学でも「臨床宗教師」の養成を進める動きが始動している。またさらに NPO 法人日本スピリチュアルケアワーカー協会でも 2013 年から「臨床宗教師」の認定を始めている。このように東北大学以外の機関でも「臨床宗教師」が誕生するようになったことから、2016 年 2 月には「日本臨床宗教師会」が誕生し、2018 年 3 月からは各大学で認定していた「臨床宗教師」の平準化を図る目的から、「認定臨床宗教師」の資格認定が開始されている。また「臨床宗教師」としての行動については、「日本臨床宗教師会倫理綱領」「臨床宗教師倫理規約」がまとめられ、これに抵触する疑義が生じた場合には倫理委員会が事実関係を確認の上理事会が処遇を決定する仕組みをもった中でその遵守が求められる。こうした綱領を設けることで、心のケアの現場における「臨床宗教師」としての一定の行動が維持されることが担保されているのである。

そうした動向の中、2017年より東北大学における「臨床宗教師」養成の仕組みにも、新たな変化が生じてきた。2017年はその過渡期で、この年には従来までの3ヶ月単位の「臨床宗教師」研修の第11期・第12期を開催しつつ、併行して新たな「履修証明プログラム」を開始した。このプログラムでは、従来までの研修における座学の部分をインターネット授業とし、「ロールプレイ」や「傾聴」などのグループワークを面接授業で実施している。そこでの特徴は、受講者を「宗教者」に限らない点である。この二年間のプログラムを受講すると日本スピリチュアルケア学会の審査を経て「スピリチュアルケア師」の資格を、さらにその受講者が「宗教者」である場合には日本臨床宗教師会の審査を経て「認定臨床宗教師」の資格を取得できるのである。さらに東北大学の大学院文学研究科内には、これまでの「実践宗教学寄附講座」を発展させ、2019年の新年度より「死生学・実践宗教学」が基幹講座として配置されることとなった。こうした動きにより、東北大学の大学院には「臨床宗教師」養成に関わる教員の再生産の道が作られることになり、これらの試みもまた、「臨床宗教師」の社会実装へ向けた布石となっているのである。

## 第三節　「チャプレン行動規範」から「臨床宗教師倫理綱領」

前述したように、現在日本臨床宗教師会では、「臨床宗教師」としての活動を行う上での指針として「臨床宗教師倫理綱領」と「臨床宗教師倫理規約（ガイドライン）および解説」を制定している。前者は「臨床宗教師」として活動していく際に遵守すべき倫理であり、後者は「臨床宗教師」として公共空間で活動する際の具体的な注意喚起としてまとめられている。実はこの取り決め、新生「心の相談室」運営の初めにあたり取り決められたものが、若干の用語の訂正はあるもののほぼそのまま踏襲されて用いられている。その点から考えるなら、「心の相談室」以降のわれわれの運動は、ある意味動き始めた第一歩より、厳密・厳格に考えられてきた中で方向付けられてきたということができる。まずはこうした綱領などが作られてきた背景を、2011年の5月時点の状況から見ることにしよう。

新たな方針に沿ってスタートした新生「心の相談室」は、「実務者会議」と呼ぶ緩やかな括りの参加者による情報交換・意見交換の場が中心となってその歩みを進めることが常であった。第一回の実務者会議は5月10日に開催され、以後二年ほどの間は週一回程度開かれていた。会議は東北大学大学院文学研究科の三階にある中会議室を会場とし、具体的な情報交換はもちろん、もっと抽象的な方向付けなどについても触れられる、さまざまな話し合いが自由に行われていた。まずは毎回、参加者による個別活動の中間報告がなされ、それに対するアドバイスや協力の話が取り交わされた。また中長期的展望に立った議論からは、「心の相談室」の名を使ったスケールの大きな企画が協議され、講演会や講習会の開催準備が検討された他、FM放送番組の製作や書籍の出版なども企画された。この会議への参加資格は特になく、手探りの中進んでいる震災復興の中で、さまざまな形の支援活動を行う宗教者が口コミを通じて参加する中で行われた。そのため核ともなる毎回参加してくる宮城県内の宗教者がいる一方、一ヶ月に一回、数ヶ月に一回参加する関西や北海道からの宗教者の姿も混ざっていた。一応事務局を預かっていることから私が司会をしたが、参加者それぞれの活動を尊重しながら意見交換を行い、協働できる可能性を求めつつおおよその落としどころを共有するといった流れをとることが多かった。

「実務者会議」で議論されてきた内容の中でも、継続して意見交換がなされてきたのは「心の相談室」に参加する宗教者のあり方に対する理解であった。この件が最初に話題に上ったのは、5月16日の第二回の時、この時岡部から、「心の相談室」に集まる宗教者の間に一定程度のルール作りが必要であることが述べられた。参加している宗教者はそれぞれの宗教をもっているため、各人が超宗派超宗教的活動をする際には、その活動がいかなるものかを明示した行動規範を作り、それに沿った形で宗教間協力の体制を明示する必要があるとされたのである。そこでその叩き台の作成を、長岡西病院のビハーラ僧や上智大学グリーフケア研究所所員を歴任してきた谷山洋三に任すことになった。この頃はまだ、目指すべき「宗教者」の名称は未決のままで、会議の席上では「チャプレン」の語で議論されていた。

5月19日の第三回実務者会議の席上、谷山は「『心の相談室』チャプレン行動規範」を資料として提出し、解説を行った。それまで「心の相談室」では、宗教者が布教目的ではなく超宗派超宗教的に信仰の異なる人の悲嘆に対峙することが確認されていたが、その具体的な方法がここではじめて文字化されたわけである。この規範は、「はじめに」「第一部 倫理綱領」「第二部 良質なケアを提供するための心得」（以下「心得」）の三部構成からなるA4用紙9枚のもので、谷山が全米プロチャプレン協会の倫理綱領など内外の先行機関の規定を参考に、自身の経験を踏まえて作成した。第一部では「心の相談室」で求められるチャプレンのあるべき姿が倫理綱領としてまとめられ、第二部の心得では、ケアの現場での会話の進め方など、想定される場面ごとに個別具体的な問題点が指摘されていた。

「倫理綱領」は、ケアを受ける「ケア対象者」とケアを提供する「チャプレン」、さらにチャプレンをケアし指導する「スーパーバイザー」の立ち位置から、以下の14の柱でまとめられている（○に囲んだアルファベットは鈴木による）。

ⓐケア対象者の人間として、個人としての尊厳を尊重する
ⓑ人種、性、年齢、信仰、国籍等によって差別しない
ⓒケア対象者の信念、信仰、価値観の尊重
ⓓチャプレン自身の信仰を押しつけない（ケア対象者の信念・信仰、価値観の尊重）
ⓔケア対象者に関する情報の守秘義務

ⓕアドボカシー（ケア対象者のエンパワーメント）

ⓖ情報の適切な扱い

ⓗチャプレンとしての適切な振舞

ⓘ所属組織の規律遵守

ⓙ同僚との良好な関係の維持

ⓚ他の組織との良好な関係の維持

ⓛ宗教間の良好な関係の促進

ⓜ自立的かつ持続可能な体制の構築

ⓝ自己向上義務

これを私なりに整理すると、まずはチャプレンの定義をⓗにおき「チャプレンは、公的な性格を有する、一種の社会的役割である。チャプレンは、その社会的役割にふさわしい、適切な振舞をする責任を有する」とし、「チャプレンは、その社会的役割の立場・地位を、乱用・悪用してはならない」と規定される。こうしたチャプレンがケア対象者に対してすべきことはⓐⓒで、すべきでないことがⓑⓓとなり、さらにチャプレンがケア対象者に関連して他者に働きかけることに関しⓔⓕⓖが述べられ、さらにⓖⓘⓙⓚⓛでチャプレンを取り巻く人びととの関係を維持促進することが述べられる。そしてチャプレンとしての限界性を踏まえ、向上していく努力がⓜⓝに記される。

ここに見られるチャプレンの他者に対する関係は、一つはケア対象者、もう一つは協力関係にある自己の宗教組織や「心の相談室」内外の多様な宗教宗派のメンバーとの関係の良好な維持に二分して考えることができる。前者にみられるチャプレンの要点は、ⓐ〜ⓓにあるようにあくまでケア対象者自身の価値観を尊重し、たとえチャプレン自身の価値観と違いがあっても独善的に対応することは強く戒められている。そうしたことの具体的な場面は、「心得」の中に25の項目でまとめられている。

(01)「心のケア」を押しつけない

(02) いきなり話しかけない、話しかけるタイミングを考慮する

(03) 心のケアに対する抵抗感を提言する工夫の必要性

(04) ケア対象者が話したくなる条件を整える
(05) ケア対象者との信頼関係を構築する
(06) 物理的ニーズへの対応の重要性
(07) しっかりと自己紹介
(08) 自己表出のサポート
(09) 落ち着いた態度、チャプレン自身の心のガードの解除
(10) わかりやすい言葉で語る
(11)「学ばせて頂く」姿勢
(12) 先回りをせず、じっくりと聴いていく
(13) 無理に聞き出そうとしない
(14) ケア対象者が話したい内容だけを語って頂く
(15) 会話のトピックはケア対象者が決められるようにする
(16) チャプレンの方で話題を変えない
(17) 自分の体験を語ることを控える
(18)「あわれみ」は有害な場合も多い
(19)「がんばろう」と言わない
(20)「あなたには乗り越える力がある」とも言わない
(21)「ポジティブ・シンキング」も押しつけになり得る
(22) 相手を理解しているかのような発言は避ける
(23) 気休めを言わない
(24) ケア対象者のやり場のない気持ちを受け止める
(25) 自分を無理させてしまう考え方

これをみると、ケア対象者と対面した状況のチャプレンが気をつける場面が微に入り細に入り示されていることがわかる。とは言えこれを初めてみた時の感想は、私自身がやってきた宗教民俗学的フィールドワークで行われる「聞き取り調査」の心得と、何と多くのところで重なっていることかということであった。とりわけ（11）の「『学ばせて頂く』姿勢」は、かつて民族学者の岡正雄先生のお宅で伺った調査の心得と共通するものであったことは眼から鱗であった（岡先生の場合は「教えて頂

く」という表現ではあったが)。そうした謙虚な態度がケアの現場において求められていることは、他者との関係、とりわけ異なる価値観をもつ人との良好な人間関係の構築のもとでなされる聞き取り調査と同様、基本中の基本として共通していることを再認識させられたことであった。このように、「心の相談室」で目指すチャプレンは、自己の宗教の側から宗教的ケアを目指すのではなく、ケア対象者の宗教背景を尊重したスピリチュアルケア的立場にあることが示されていたのである。この時の「『心の相談室』チャプレン行動規範」は、その後、多少の改編を経ながら公開され、2016年2月28日制定の日本臨床宗教師会の「臨床宗教師倫理綱領」へと踏襲された。この間の経緯について、その「前文」には以下のように記されている。

> 東日本大震災後の「弔いとグリーフケア」を提供するため、宮城県宗教法人連絡協議会等の支援を2011年3月に設立された「心の相談室」は、「チャプレン行動規範」に基づいて活動を行った。同室は、2012年4月に東北大学大学院文学研究科に開設された「実践宗教学寄附講座」の運営に協力するため、「実践宗教学寄附講座運営委員会」を設置し、2012年9月には「チャプレン行動規範」を改編した「臨床宗教師倫理綱領」を制定した。さらに同室は、より具体的な課題に対応するために、2015年5月に「臨床宗教師倫理規約(ガイドライン) および解説」を制定した。
>
> 日本臨床宗教師会は、これまでの経緯を踏まえて、上記の「臨床宗教師倫理綱領」と「臨床宗教師倫理規約(ガイドライン)および解説」を継承する。臨床宗教師は、宗教・教派・宗派の立場をこえて人々の宗教的ニーズに応える専門職である。実習を含めた臨床宗教師の現場での活動を適切なものにするべく、関係者は本倫理綱領と倫理規約を共有する。臨床宗教師の養成を行う教育組織は、各々倫理委員会を設け、養成中の倫理的事案について対応する。

## おわりに

以上、本稿においては、被災地の震災被害者に対する支援を契機に、多様な宗教が協働する中で「宗教間協力」を行い、異なった価値観をもった異教徒や異文化の中にいる人々に対する心のケアに従事する「臨床宗教師」という新たな専門職が創出されてきた事例をとりあげた。稿を閉じるにあたり、一点、こうした活動を行ってきた私自身が悩みつつ考えてきた問題に触れることにしたい。それは、超宗派超宗教の立場から、心のケアにつくす「臨床宗教師」に関する啓蒙的な講演を依頼された際、講演終了後の質問の時間に時々出てくる質問に対する模索である。

「心の相談室」の活動を私が最初に紹介したのはかなり早い時期で、震災から二か月後の2011年の5月22日、東京大学仏教青年会で開催された宗教者災害支援連絡会（宗援連）の第二回情報交換会で席でのこと。「『心の相談室』の取り組み－宮城県から－」の題目の報告においてであった。最新情報として、形が定まりつつあった「チャプレン行動規範」の内容を報告したところ、概ね好評であったが一点、「チャプレン自身の信仰は押し付けない」とするところに対して、「宗教者が自己の宗教を離れて、自己のものとは異なる他者の宗教に理解を示すことは果たしてどこまで可能か」と言った質問が出された。また6月10日に日蓮宗現代宗教研究所で「『心の相談室』のこころみ－震災に対する超宗派的な取り組み－」と題した講演をした際にも、「日蓮の教えで生きてきたわれわれに、それを捨てろと言うのか」とする質問があった。それぞれの会場におき、私はチャプレンが自身の信仰を押さえ、寛容の精神をもってケア対象者に対峙する重要性を説明することで回答したが、その当時は正直言って、自身でもこの問題に対する満足のいく回答ができないままであった。

この点に対する回答はその後も模索中であるが、その中で一つ明らかになってきた点がある。それは「教義は絶対ではない」という理解である。このようなことを言うと、不信心者と言われてしまうかもしれないが、私は逆に「教義は常に不動なものであろうか」という素朴な疑問をもつのである。これはもちろん、教義、即ち宗教の教えをみる際の視角の大きさにもよることである。マクロに見れば、キリスト教・仏教・イスラームなどにはそれぞれその宗教としての教義が定まっていることはもちろんである。しかし例えばキリスト教と言ってみても、カトリックやハリストス正教会は十字を切るのに対し、プロテスタントの多くは十字を切らない。さらに十字を切る場合であっても、カトリックは額－胸－左肩－右肩と切るのに対し、ハリストス正教会では額－胸－右肩－左肩と切っている。たかだか“十字を切る”という行為一つとっても、このような歴然とした違いが認められるのである。にもかかわらず、これらを一言でまとめ上げて「キリスト教」と呼ぶことは、果たして実態に即しているのであろうか？そもそも「キリスト教」と呼ぶ宗教は存在するのであろうか、とすら言うこともできよう。つまり、宗教と呼ばれるものはマクロに見れば一つの大きな括りの中に存在しているように見えるのであるが、ミクロに宗派・教派といったレベルでみるなら、多様性をもって個別独立に存在していると考える方が実態に合っているのである。

さらに言うなら、同じ一つの宗派・教派であっても、そこに属する「宗教者」には、一人一人の教義に対する理解に微妙な違い、幅が認められるのではないだろうか？このことは、釈迦の逸話の中に「応病与薬」「随機説法」などと、釈迦が相手に応じて教えを説いたという話があることからも明らかであろう。つまり、説こうとする宗教の教えの方向は一つであったとしても、その説明で用いられる表現が異なれば、受け手の理解に微妙なズレが生ずる可能性があるのである。こうしたズレが生じたからこそ、釈迦入滅後に「仏典結集」が四度も行われたのではなかったのだろうか。さらに言うならこうした教義の解釈・理解のズレが大きくなりすぎ、一つの宗教としてまとまることができなくなってくると、分派が生まれて来るということは、これまでの宗教史が数多く示してきたことでもある。

このように考えてくると、宗教の教え、教義というものは、絶対で不動な“点”で表されると言うよりは、揺れ幅をもった“線”で表される性格をもつと考えた方が妥当なのであろう。ここで改めて講演などの際に出された二つの質問について振り返ってみると、そのどちらもが宗教者の立ち位置を動かすことのできない“点”で考えていることが明らかになる。確かに、そうした観点はマクロに見れば妥当なことかもしれない。しかしこれをミクロに見るなら、いかなる「宗教者」であっても幅を持った“線”としての教義に関わっているのは明らかである。そのように理解するなら、自分の「宗教者」としての“線”の中の立ち位置を、ケア対象者とより近いところに移すことは十分可能なことである。そもそも教義は絶対ではないのだから。「臨床宗教師」とはまさに、こうした理解に立って、例えその対象が異宗派異教徒の場合であっても、救済を求めている人びとに対して寄り添うことができるケア専門職なのである。このことを手掛かりに本書のテーマである「多様性と異文化理解」に話を拡大するなら、自文化に対し、“点”、即ちスタティックな立ち位置に固執するのではなく、“線”としてダイナミズムの中で異文化に接していく寛容の重要性が浮上してくると言うことができよう。

【註】

1）阪神・淡路大震災の起こった一九九五年一月当時、日本社会にはオウム真理教に対する疑惑の眼が色濃く漂い、ひいてはそれが宗教全体に対する不信感、疑惑感を生みだしていた。そのため宗教者や宗教団体が支援活動を行う時に、教団名を名乗ることはもちろん、宗教者としてのケアを行うことはまことに困難な状況にあった。山折哲雄が当時の宗教者に対し、「宗教者としての特質が見えない」「その活動は宗教者でなくてもできたことではないか」と批判したことは記憶に新しい。この点は2013年3月2日、東北大学で開催したパネルディスカッション「東日本大震災と宗教者・宗教学者」の基調講演で登壇願った際確認したところ、阪神大震災時の惨状を見て直観した「無常」「地獄」といった宗教的言語が、東日本大震災時にはメディアにも取り上げられ、世論においても語られるようになったという現実があり、山折はそこにかすかな“希望の灯”を見出し、「阪神淡路から三・一一にかけての時間の落差のようなものは一挙に乗り越えられてきたかな」と、不安をもちながらも感じていると発言された。

2）曹洞宗については宮城県曹洞宗宗務所、神社神道については宮城県神社庁からの聞き取り調査結果である。

3）藤山みどりはこの点を、仙台仏教会に所属する浄土宗の僧侶中村瑞貴が、まず個人的に動き後に仙台仏教会としての活動となったとしている（藤山みどり『臨床宗教師：死の伴走者』高文研、2020年、p.129）。

4）東日本大震災時には、短期間に大量な遺体処理を行う必要があったが、火葬場の機能は充分ではなかった。そのため宮城県では、2108体の被災死亡者が一時土葬された。このことについては、拙稿「東日本大震災の土葬選択にみる死者観念」座小田豊・尾崎彰宏編『今を生きる 1人間として』東北大学出版会、2012年で論じたことがある。

5）プロテスタント、カトリックの垣根を越えたキリスト教系の超宗派団体。震災直後の3月18日、同連合は傘下の任意団体として被災支援ネットワーク（東北ヘルプ）を立ち上げ、教会の再建、支援者のネットワーク構築、民生支援活動を行ってきた。さらに海外からの大口資金援助に備え、同年5月にその受け入れのために東北ヘルプの事務局を財団法人化し、一般財団法人東北ディアコニアを設立した。

6）震災時の宮城県の宗教状況を考える際、当時既に県内の宗教法人をまとめ上げる組織であった「宮城県宗教法人連絡協議会」の存在は、見過ごすことのできない要であった。この組織は、在仙の宗教団体同士の連絡を緊密にし、世界平和に尽くそうと言った趣旨で1958年から始まった、「仙台宗教団体協議会」という組織を母体に1973年に発足した。会の特徴が、各宗教法人が相互に連帯した宗教団体としてのあり方の実現を図る点で興味深い。具体的に言えば、1980年以来実施されている「各教宗派本山等研修」では天理教会本部、トラピスト、伊勢神宮、曹洞宗大本山永平寺、……と毎年各法人の中心的な施設を訪問して見学の機会をもっている他、1975年以来刊行されている『みやぎ宗連報』の記事として、1982年から開始された特別寄稿では、きよめ、祈り、救いなど共通する宗教的なキーワードが設定され、各法人からの論考が寄せられている。こうした宗教間の相互理解を推進する活動を長年蓄積してきたことが、今回の震災直後から各宗教団体の枠を越えて協働する体制を実現できた理由と思われる。2014年4月1日現在の加入宗教法人は2122である。

7）この資料は仙台仏教会から提供されたものであるが、特にキリスト教団体の所属が「日本基督教団仙台市民協会会長」とある部分、「仙台キリスト教連合代表」の誤記と思われる。

8）岡部は、仙台市に隣接する名取市で在宅ホスピスを開業していたことで著名な医師で、さらに言えば自身、前年にガン手術を行っており、余命十ヶ月と宣告されていた。彼は医師でありながら、自然科学では説明しきれない宗教が人間に及ぼす力の有用性を経験的に認めており、医療現場に公共性をもった宗教者の働く場を確保することにより、死を見つめる人々に対して幅広いケアの場を作るべきだとする持論があった。そうした岡部は、ガン発覚によって自己の死を直視させられることとなると、「死という闇の世界に降りて行くための道標」が現代日本の看取り文化の中に無いことを批判し、公共空間におき医療関係者と宗教者が連携できる仕組みの必要性を説くと共に、その実現を目指すようになった。その意味で震災は、岡部にとり最後の正念場でもあったのであろう。震災後の彼は、その夢実現のため、精力的に働きかけを試みたのである。岡部の最期に向けての歩みについては、奥野修司『看取り先生の遺言　がんで安らかな最期を迎えるために』文藝春秋、2013年に詳しい。

# 第八章　異文化を「異文化」化する社会

米倉　等

## はじめに　——課題の設定と背景——

突然発生した2020年の新型コロナ肺炎問題で、日本の対策は当初不思議な対応だと欧米ではみられていた。研究者もジャーナリストも日本の対応を十分把握できず、また日本の側からの説得力ある説明がされておらず、理解されなかったようだ。マスクの奨励は奇異にみられてさえいた。日本から発信される研究レベルでの説明と説得が十分でなかったのだろう。最近でこそ、第一波の感染拡大を最小限に抑え込んだことで、マスクの使用も実証的に抑止効果があるものとみられるようになったかの感がある。が、日本人の積極的な研究発信によって説得されたということでもなさそうだ。日本からの合理的科学的な主張が待たれているはずだ。人文社会科学ではなおのこと、このような傾向が強いかもしれない。研究交流のために互いにディベートを重ねる共通のプラットホームが必要だが、その共通プラットホームに立つ日本人研究者は限られている。いたとしても、多くは欧米の大学で学位をとった研究者がほとんどであろう。依然として「日本人はキャッチボールのできない野球狂」なのかもしれない。日本人による対外的な発信力の低さは、日本の近代化プロセスを特徴づけているに違いない。イギリスのある人類学者に、人類学研究の最後のフロンティアは日本ではないかと半ば冗談半ば本気で言ったことがある。

和魂洋才、中国なら中体西用であろう、西洋の科学文明（知識、学問、技術）をいち早く取り入れるためのシンクレティズム的方策だった。シンクレティズムとは元来神仏習合など宗教に関して言われる言葉だが、異なる文明や文化を速やかに導入し接合していくうえでも避けがたい方法であっただろう。アイデンティティを混乱されまいとする構えであり洋才を受け入れる日本の文化的特徴を示す「和魂」が、近代化、発展の過程でそのまま温存されたはずもないが、明治維新以来はや150年を超えた今日、「和魂」はどの程度変わったか、またすっかり「洋魂」化してしまったのか、改めて気になるところだ。日本のシンクレティクな近代化の特徴は、社会的文化的な混乱を最小限にとどめつつ、利得になると判断できる事象や論理のみを都合良く輸入受容して他を切り捨てる取捨選択だった。近代法の導入などに典型的に示されるように常に折衷的である。このような日本が一つの発展モデルを世界に特にアジアの近隣諸国に示してきたことは間違いない。巧みな変わりようであるが、しかしこのことで支払うべき代償は決してゼロではない[註1]。それまでの時代の牢固たる旧弊から自由となろうとする反面、「知新のみが重視され温故がないがしろにされてしまった」面はたしかに否めない（渡辺京、2005、平川祐弘解説より）。文明開化、富国強兵、和魂洋才といった風潮や思潮はまた、西洋崇拝オクシデンタリズムの光に染まった日本の姿であったともいえそうだ。

長い歴史をかけて資本主義の倫理、利子の倫理的是非を論じ検証し続けてきた西欧の社会である。利子を是として社会的に承認するプロセスが宗教改革でもあったわけだが、日本の歴史の展開に宗教改革のようなものはあったのだろうか。西洋では、自問自答を繰り返し、極めて長い歴史の呻吟の果てにたどり着いた利子論である。イスラームの社会は依然として利子を認めないが、それでも今日の資本主義経済の中でオペレーションする金融システムを構築し共存している。日本は、このようなプロセスをいずれも省いて、明治維新を機会に気軽に学び取ったのである。これを和魂洋才というかはともかく、企業の利潤極大などは卑しい資本主義の根幹のように見られてきたといった面があり、精神的高みを目指した清く貧しく美しく生きるといった規範が響きよく人々に受け入れられてきた。社会科学、経済学が日本に根付いてこなかった観もあるが、日本人、日本にとって異文化を取り入れるということはいったいどのようなことなのであろう。

先進的な欧米の文化や文明を都合よく取捨選択することの重要性は否定しえないが、このことが今日の日本にどのような影響を及ぼしているか、陥穽に陥っていることがありはしないか、私たちはもっと感覚を鋭くしておく必要がある。その場合、オクシデンタリズムから解放されている必要があろうし、また逆に無意識に欧米批判のオリエンタリズムの驥尾に付してしまうことも無いように心がける必要がある。私たち自身の視座は二重三重に屈折しやすい。

この論稿ではシンクレティクな特徴を持つ日本の近代化、異文化導入方法を表題のように「異文化」化とし、このような近代化が今日までの日本にどのような影響を与えたかを検討する。そこでは、人々の生活に大きな影響を持つ最小の生活空間であるコミュニティと権力との関係を一つの切り口にしながら、アジア・アフリカなどの他文化と比較しつつ今日の日本の社会経済システムの特徴を観察してみたい。

## 第一節　「故郷世界」と「異郷世界」

以上のような課題を検討するに際して、哲学の知恵を借りて思考を整理し、観察者としての立ち位置と留意点をまず確認しておきたい。フッサールの「故郷世界」と「異郷世界」をめぐる論考について、野家の明快な紹介・解説によると、まず自文化理解とは「自文化が「自」文化であることを自覚しうるのは、異文化との遭遇を通じてだけなのである。それは同時に、自文化は異文化にとっての「異」文化であることを意味する。このような文化的パースペクティブの交互性は、当然「ヨーロッパ」という故郷世界をも「一つの文化」として、さらには「哲学」や「理性」という概念すらも一つの文化的所産としてとらえる視点を要求するであろう」（野家、2018、p.177）ということになる。

「異文化理解は、自他のあいだにあらかじめ共通の基盤が存在することによって可能となるわけではいささかもない」。「異他的なるものとの遭遇と接触が、…我々のアイデンティティを揺さぶり、パースペクティブの変容をもたらすものとなる異文化理解とは」、「アプリオリな共通の基盤を求める努力ではなく、共通の基盤を新たに形作ろうとする絶えざる投企であり試行錯誤にほかならない」という（野家、p.178）。共通の基盤創りは、自らのアイデンティティの変容を伴うトランスナショナルな営為と言い換えることもできよう。これを実行していくには、格段に深いレベルでの省察とコミュニケーション能力が必要であることは言を俟たない。

「故郷世界と異郷世界とを包括する同一の世界とは、どこにも予め「存在」するものではなく、自他のパースペクティブの変容を通じて「生成」し、増殖するものだといわねばならない。まさにその意味では、それは「どこにもありどころのない」世界なのである。」（野家、p.178）。世界とは「生成」する文化的世界ということであろう。また、ハーバマスの言葉を借用すれば、「未完のプロジェクト」ということだろうか。

かくいうフッサール自身だが、「わがヨーロッパの人間性には完成態というものが固有に備わっている、ということを感じ取っているのだ」という。野家は、このようなフッサールの陥ったオリエンタリズムを指摘するが（野家、p.170-173）、ヨーロッパ人による「非ヨーロッパ的理性」の発見が、レヴィ=ストロースの『野生の思考』の登場を待たなかったとすれば、それをフッサールに要求するのははなから無理として、性急な評価を避けている。

要は、自文化中心主義であっても良いが、それは徹底されれば究極的に自文化自体が相対化されるところに行き着くということで、フッサールの思考は不徹底な自文化中心主義だったという。逆説的表現だが、確かにそういうことになりそうだ。以上は、フッサールとその野家解説によった議論の補助線である。

哲学が示唆するところは、日本の「和魂」や中国の「中体」などの中に、東アジアの「非ヨーロッパ的理性」の有無を確認するのではなく、新たな共通基盤の構築をこそ目指さなければならなかったということになる。この意味では、自己アイデンティティを固持したままの和魂洋才というのは、はなから共通基盤の構築を目指す姿勢を捨てていたことになろう。このようなシンクレティクな発展手法の特徴と限界を本稿は検討しようというものだが、「故郷世界」についてさえ覚束無い（知的）難民が「どこにもありどころのない」世界をつかもうとする試みということでもある。

## 第二節　オリエンタリズムと逆光のオリエンタリズム

### 2.1　観察者の視座

時間と空間の制約の中を生きる観察者は、抽象的な理論といえども知覚可能な現実世界と何らかの経験的事象を反映して、認識世界を描きそれを仮の引証基準にしている。すべてはこのようにしてできた仮設の基準にもとづいて観察し評価している。社会科学は何らかの基準化実体化された方法と分析言語、概念で対象を観察評価するが、基準や概念はすべて仮設的に設けられているにすぎない。この意味では、現在の主流を形成する新古典派の経済学はアメリカの経済学であり、古典派の経済学はイギリスの経済学といったら解りやすいだろう。両者の橋渡しをしたのがイギリスで生まれアメリカで本格的に適用されたケインズ経済学ということになろうか。

捉えどころのない世界や文化を見ようとするとき、私たちは何かを足場にしながら観察している。ある基準との比較で理解しようとするのが常套的な思考スタイルだ。観察対象に対して、観察者が「どこにもありどころのない」世界を基準にすることはできない宿命だ。西洋をすなわち先進文明の知恵とし基準とするのが私たちの常用する方法だが、このことを自覚的していないと危ういことを教えてくれているのがサイードのオリエンタリズム批判だ（サイード、1993）[註2]。西洋東洋の二分法そのものが批判されているわけだが、このことを踏まえつつ、私たち日本人が世界を、異なる文化や社会を、どうとらえてきたか検討してみたい。

いまや日本の代表的観光地の軽井沢も上高地も、日本のヒル・ステーションとしてイギリス人が開発したものだ。軽井沢や日光での「リゾート」生活は日本人に西欧的ライフスタイルと「近代性」を経験させることになった。これらは富士山同様日本を代表し象徴する景色とみられている。だが軽井沢も上高地も日光も、その観光的価値の発見者、観光地としての起工者は、紛れもなく西洋人なのである。いわばオリエンタリズムの産物を、わがものとして私たちは今日享受していることになる。『逆光のオリエンタリズム』は、南インドから軽井沢までの空間的展望の中にイギリス人やフランス人の開発した「リゾート」を探るというところから始まったと青木保はいう。その生活文化と影響をとらえて、アジアの「近代」を再考しそこから逆にヨーロッパをも照射する、というものである（青木、1998、p.232)。それを「オリエンタリズム」の再検討だと青木は言う。西洋の発するオリエンタリズムの光を目にするとき、東洋人の目は逆光に晒されている。これを第一の「逆光」とすれば、オリエンタリズムの光を浴びせられて変容した東洋を西洋人が目にする時、それは第二の「逆光」といえよう。事例として青木が紹介したイスタンブールや香港、シンガポールは、たしかに私たち東洋人から見ても東西混淆の独特の存在感を示してきた。

逆光のオリエンタリズムを論じる青木のアジア観は、アジアの人々の間で英語にたよって互いのコミュニケーションがはかられるのと同じようにアジアは西欧を経過してアジアをとらえているということだとして、「少なくとも「近代」におけるアジアにおいては、「西欧化」がほとんど唯一の「共通項」であるといってよい」という（青木、p.5)。「アジアにとっての「近代」は、一応形の上では1997年の香港、1999年のマカオ、両西欧植民地の中国返還をもってようやく終焉を迎えるのではないか」と青木はいうのであったが、本当に終わったのであろうか、終わったとすれば今日噴き出す様々な問題は、いったいどのような時代を意味するのだろうか。今日の中国の香港をはじめ周辺諸国・地域との軋轢さらには米中対立はどう理解できるだろうか。香港もシンガポールも東洋と西洋の交錯したトランスナショナルな独特の世界だが、中国返還後の香港は、「中国化」が進みつつあり、部外者として見る限りではそのトランスナショナルな性格が減衰して中国世界に埋没、観光地としてのエキゾチックな魅力が失われつつあるように見える。その背景にある中国という国家は、その経済発展の成功によって世界の中で存在感を示しているが、社会主義であることを除いても、文化世界として独特の様相を見せている。

しばしばオリエンタリズムを反映したものとして批判にもさらされる例が、日本についての欧米人の記録である。江戸時代末期から明治にかけて外国人いわゆるお雇い外国人などがやってきて、日本や日本人についての観察記録、日記、旅行記などを残してくれた。彼ら西洋人の観察に様々なバイアスがあったであろうことは否定すべくもないが、だからと言ってそのような観察を無視したり批判の内に葬り去ることもできない。西欧列強諸国は、すでに植民地支配の経験を積み、多くの植民地文書・研究を蓄積しつつあった。彼らのおかげで、私たち自身には見えなかったもの、記録に残すこともなかったものが多く残された。西洋人の態度、反応、観察などそれらを読み解く我々の問題を考える時、記録として残した彼らの発見をオリエンタリズムに染まったものとして下水溝に流してしまうわけにゆかない。今更、上高地や日光の美しさを捨てられはしない。評価はどうあれ、渡辺が言うように「こういう事実があった」ということが肝要であろう（渡辺、2005、p.52-53)。

オリエンタリズムを光として浴びれば、私たちの目も逆光の中にあることになるが、いずれの光に染まったとしても、記録があるかぎり修正技術を磨くことでよりバイアスの少ない像を再現することは不可能ではあるまい。西洋の陥ったオリエンタリズムを批判するのみでなく、これを超えてなおこの批判すらも相対化してみる必要がある。

文明の起源とされるエジプト、メソポタミア、インダス、そして黄河の四大文明は、周知のようにいずれもアジアかアフリカが起源だ。これが世界共通の認識だと日本では思われてきた、教科書にそう書かれてきたからであろう。しかしこれは、敗戦に打ちひしがれた第二次大戦後の日本の時代状況を反映させて江上波夫がすでにあった四大文明という言葉を歴史学用語として造語したものだとされる。であれば、これも一種のオリエンタリズムあるいはそのことに影響された日本のオリエンタリズムかもしれない。欧米や他の世界では、四大文明という考え方は一般的ではない。最近は歴史教科書から「四大文明」の用語は消えつつあるようだが、これを消していくことはユーロセントリズムに与するだけだとの見方もある（森安、2011）。

異文化を理解することはあるいは理解したと思っている「異文化」とは、自覚的であろうとなかろうと何らかの意味で取捨選択したり抽象化して（あるいは自己に都合よくバイアスをかけて評価・理解することを含めて）、モデルとして「異文化」を認識している。科学としての社会科学では、類型化と比較が常套手段として使われる。現象学的表現を借りれば、異文化は真の実像ではなく写像あるいは表象として認識されるものだ。写像は、より解析力分析力の高い科学的「光」によって常に描き直されなければならないものとしてある。つまり、仮設された説、仮説であるとの自覚を持っていることがとりあえず私たちの取りうる姿勢である。このような科学とはサイードによれば言説（ディスクール）ということになる（サイード、1993、下巻 p.76）。

## 2.2　オリエンタリズム：非西洋の知性の発見

オリエンタリズムとされる言説が盛大に生み出されたのは19世紀から20世紀始めにかけて、植民地主義が跋扈した時代でもある。かつての植民地においては、経済力のほとんどを植民地支配者かその買弁に支配された。買弁は政治的に不能な賤民（pariah）事業家階級だ（アンダーソン、1987、p.198）。植民地アジアにあっては中国人、インド人、アラブ人、植民地アフリカでは、レバノン人、インド人、アラブ人が知られる。彼らの読み書き能力と二重言語能力が彼らを支えた。二つの言語を使いこなす人々が登場し拡散する過程で、ヨーロッパ言語を経由し、植民地の人々は啓蒙思想に触れ、広い意味での西欧流の近代化、そして19世紀に世界の各地で生み出されたナショナリズム、国民、国民国家のモデルを手にすることになった。

植民地支配を受けた国・地域では、そのナショナリズムの形成でクレオールの果たした役割が大きいことはよく知られる。なかでも宗主国本国で教育や訓練を受けた人々である。その中から、若い褐色のあるいは黒い肌をした「英国人」も登場した（アンダーソン、p.196）。インド国内のみならず、中東やアフリカに渡ったインド人の中にはそのような「英国人」がいた。彼らの活動を通じて、植民地国家から国民国家への過程が、当初は隠蔽された形でひそかに爪を研ぐように一歩一歩進行した。19 世紀半ば以降そして、20 世紀以降より多くのそして多様な人々によって進められるようになった。同じ東洋の地域かつての蘭領インド、現在のインドネシア、においてはカルティニもその一人だった。

19 世紀の終わりから 20 世紀の初めにかけて、蘭領インドのジャワの名門貴族の娘カルティニは、知性豊かに育てられオランダ語を習得し、見事なオランダ語で日記を残した。文明たるオランダの言葉で記されたジャワ人の女性の日常が情感豊かにつづられ、この日記が出版されるや、オランダ人の多くの耳目を引くことになった。未開の東洋人と思われた人がオランダ人にわかる見事な表現で語ったのである。わずか 25 歳で病死するという薄倖の人生だったこともあって、彼女の残したオランダ語の日記が注目された。カルティニは、ジャワ人自身の内部から近代の＜ヒカリ＞が発する時代のその幕を開いた人として理解されている（土屋、1991、p.160）。初めて文明の光が当たり、オランダ人が理解し共感できる世界を見出したということだった。文明の燭光をカルティニの日記に認めたのである。ジャワ人自身がオランダ語という文明の言葉を持ったことに、ジャワ人とその文化のなかに文明の光を感じ驚きと感激をもってこれを迎えた。言語の光を通じて、みるべきもの感知し納得できるものを初めて西洋人は発見できたことになる[註3]。はじめに言葉ありきという西洋人の（オリエンタリズムの）視野に入り得る光が帰ってきたということであろう。これがジャワを含む今日のインドネシアの民族主義の自覚に大きな影響を与え、今日では国民的文化的価値とされる。

## 2.3　日本の社会科学

オリエンタリズムの視点を踏まえながら、特に日本の近代化、発展の中でのコミュニティについてみてゆきたい。私たちは西欧の近代思想の中から何をどのように受け継ぎ形成しただろうか。ここで取り上げるのは、大塚久雄の『共同体の基礎理論』である（以下、このパラグラフは主に小谷汪之、1982、による）。これは、「日本の社会科学の諸分野における共同体研究のいわば背骨のごときものとなってきたといっても過言ではない」とされる今や古典中の古典というべき研究成果である。そこでは、ヨーロッパとアジア間の対蹠的な特徴、異質性を規定の枠組みとして、それらのあいだを如何に説明するかをテーマとしたといっても良い。意識的あるいは無意識的に行われた改竄、無視、切り捨てといったことの詳細は、小谷の『共同体と近代』を精読していただきたいが、核となる三つの共同体は、マルクスのいわゆる諸形態「資本主義的生産に先行する諸形態」に依拠し（註4）、共同体の出発点となるアジア的共同体は主としてマックス・ウェーバによっていることはよく知られるところだ。ウェーバーの時代以前、すでにマルクスが構想したアジア的共同体の事例としたロシアのミール共同体、ジャワのデサ共同体、インドの村落共同体について各々詳しい研究が、特に後二者は植民地支配の過程を通じ、19世紀に蓄積された。それら共同体の理解について様々な論争があった。土地所有の原始共同体の存在、所有が本源的に共同所有でその社会の解体過程で私的所有制が形成された、というマルクス＝エンゲルスらの判断の基礎となった諸研究に共通した歴史認識に対し、ウェーバーは19世紀の論争を踏まえてすでに懐疑的であった点を、大塚は無視というよりは曲解したことが知られている。原始共同体の事例とみられた上記の共同体は、原始的共同体などではなく、租税、地代負担などに関する連帯責任制、人為的行政的強制に対する対応として創出された近代における植民地支配による変容として観察されていた。しかしこのことは、発展段階モデルを堅持するためにつまり共同体発展の諸段階の理論化のために、大塚は事実認識として取り入れることなく、ヨーロッパとアジアの対比の枠組みの確定に至った（小谷、p.162）。前述のようにヨーロッパとアジア間の対蹠的な特徴、異質性を既定の枠組みとしてそれらのあいだを説明しようとしたのである。「人造的実在」としての「アジア」あるいは「日本」といっても良いが、それをヨーロッパとの対比で規定しようという「オリエンタリズム」的発想は、大塚の「アジア的共同体」の概念構成の在り方の中に深く刻印されていると小谷は指摘する。アフリカの共同体についてであるが、大塚の共同体の基礎理論を適用したのが、赤羽裕の『低開発経済分析序説』だ。だからと言って大塚や赤羽の理論を図書館でなく博物館に収めてしまってよいわけではなく、共同体あるいはコミュニティ理解のための出発点として必須文献だろう[註5]。このようなオリエンタリズムに縛られた「失敗」に対する反省もあって、かつての欧米人たちの観察そのものをオリエンタリズムに染まったものとして固定的懐疑的にとらえその成果を全面否定する思考パターンも発生し得た[註6]。サイード流に言えばいずれも言説であるが、真実への限りない試行錯誤のためにはいずれも必要な言説といえよう。

## 第三節　途上国のコミュニティ開発

### 3.1　コミュニティと農村開発

土地共有にもとづく本源的共同所有社会を想定するマルクス流の歴史観は、周知のように発展段階の到達点たる「市民社会」として19世紀のブルジョア社会を措定した。資本主義の発展過程で社会がどこに行き着くか、日本の識者がこのような問題に強い関心を持ったことは自然な傾向だったろう。また、第二次大戦直後のアジアやアフリカで、先進国や旧宗主国からの援助の嚆矢ともいえる活動が、コミュニティ・ディベロップメントであった。コミュニティの開発が注目されたのである。

オリエント（東洋）とオクシデント（西洋）の差異は、単に学術的な違いとして認識されるにとどまらない。蓄積された知識は、両者の差異を明らかにし、強調し、分裂を深めもした。特に植民地と宗主国との間ではしかりだった。19世紀のオクシデントは研究者をも含めて、オリエントとの差異が本質的なもの存在論的な差異であり(註7)、歴史的な力関係ととらえた。第二次大戦後のコミュニティの開発では、植民地支配と癒着同化していたオリエンタリズムから自由になれているか、その努力はどう行われてきているだろうか。「市民社会」あるいはコミュニティを構築しようとする試みには、異文化導入の問題とオリエンタリズム的課題が集約されているといってよいだろう。

21世紀に入った今日の国際社会が掲げるMDGs（千年紀開発目標）やその継続版SDGs（持続可能な開発目標）で、貧困対策が改めて焦点に当てられ最重要課題とされている。貧困者を特定し便益を行き届けるためのチャネルとして、そして支援対象としてコミュニティに重要な役割が与えられている。貧困者の特定という大前提が最も困難な作業だからでもある。市民社会としてのコミュニティの形成が開発の目的としてまた同時に手段として再注目されることになったのである。開発対象となる途上国地域にどのような市民社会がありうるのか、開発のためにどのように活用できるのか、といった問題意識を持つ傾向がある。そこでは、コミュニティを「国家」と「市場」の間を媒介する「市民社会」といったとらえ方をする傾向が強く（児玉、2008)、しかしそれが如何ようなものかについての共通の認識、合意が進んでおらず、コミュニティなるものが実は曖昧である。

最近では、続可能な社会SDGsを目指すうえで、特に貧困対策などで、住民、農民参加型の開発が強調されるようになった。だが、住民、農民からなるコミュニティがいかなるものか、あいまいにしたままコミュニティ開発が実施される傾向がある。コミュニティという時、それは自立し自由に意思決定する個人からなる「市民社会」を目指して成長しそこに到達できる集団というイメージがある。このような西洋の理念的な「市民社会」をアジアやアフリカの開発にそのまま当てはめることができるかどうか自体も問われるべき課題だ。「市民社会」自体が啓蒙主義にもとづく西欧モデルであり、迂闊な類型の抽出はむしろオリエンタリズム的バイアスを助長しかねない危険もある。

コミュニティを、実態に基づいてオペレーショナルな集団としてとらえる実体概念を取るか、市民社会形成のためのモデル化された認識論的比較概念でとらえるか、という二つがある。後者の比較分析的な把握が重要であることは言うまでもないのだが、紹介したようなオリエンタリズム的な誤りを犯す危険があることもあり、限りない議論の繰り返しとなりかねない。そこでこのような思考を棚上げしたまま、開発を推進する政府や今日の世界銀行などの援助機関は、実体概念としてコミュニティをとらえる傾向がある。したがって、今日のコミュニティ開発では、支援の対象として実際的に補足できる行政村だったり、農村地域のNGOの活動グループなどとなる。効果についての評価は、支援の受益者たるコミュニティメンバーの各個人の行動にブレークダウンして分析的手法を用いて科学的に説明しようとする。しかしここでは、支援する政府や団体によって、コミュニティをどのような方向に発展させるかという点で各々が異なるイメージと期待を持っていることが多い。

現在、世界銀行が支援するCDD（Community-Driven Development）Approachでも、その実際の対象としては詰まるところ村、要するに行政村とその下部単位を主たる実施対象としているようだ（Wang and Guggenheim, 2018参照）。現実の開発の過程では、オペレーショナルな対象となる何らかのグループを対象とせざるを得ないが、その場合地理的な境界があり構成員が特定できる行政村が一般的な対象となる。海外からの活動支援は、多くの場合中央政府を経由して政府プログラムとして行われるので、行政機構を使うことが必然とされるだろう。農村がどのような行政単位であれ、コミュニティとして扱われ、さらにその内部の様々なグループや村をまたがるようなグループもコミュニティとして扱われることになる。

もっとも一般的なコミュニティとしては農村ということになってしまうが、この農村も実際には国や地域によって様相が全く異なる[註8]。日本とタイの農村の比較から、エンブリーらによって東南アジアの農村はルーズな構造を持った社会とみなされてきた。村といっても、かつての日本であれば、地主小作関係が村社会を捉える重要な基軸的視点だが、現在のインドネシアやフィリピンでは地主小作関係では妥当な理解はできないだろう。これに代わる視座としては農民対農業労働者といえそうだ。インド農村の場合は、依然として伝統的な身分制カーストの影響が大きい（註9）。また、農村住民が主として農民から成り立つというのはむしろ日本的特徴で、アジアやアフリカの農村では主要な職業が農業とは限らず多種多様であることが多い。行政村のガバナンス力も、国や地域でバラバラである。

コミュニティ開発の関心が集まるアフリカに関する近年の研究例で、松村はアフリカの社会について「状況におうじてそれぞれの集合性（民族，宗教，社会組織，集落など）にもとづく実践を組織していることを示す。複数の集合性が並存する不均質なアフリカ農村」、「「共同体の解体」と「市民社会の生成」という図式に還元できるもの」ではなく、それは、「市民社会論が想定したような自立的な個人の参加する自発的なアソシエーションとも、共同体論がもとづいていた均質で閉じた集合的アイデンティティのあり方とも異なっている」としている（松村，2008）。今のアジアやアフリカの農村が共同体であるのか市民社会になれるのか、なったのかといった疑問自体、オリエンタリズム批判の視点からすれば出口のない問題設定といえそうだ。

筆者が知るインドネシアを例にとって、ジャワの村デサ（desa）の事例でも、指摘されるようにオランダ植民地時代に強制栽培制度によってデサの内実は大きく変容させられた（註10）。マルクスも注目した割替制を行う土地共有は、この強制栽培制度の帰結でもある。かつての植民地行政のそして今日のインドネシア共和国でも、末端行政の受け皿としてデサは重要な位置にあるが、今日の村落行政としてのデサの実態を観察してみると、行政システムとしての基本的な機能さえ果たしているとは言い難くぜい弱だ。末端行政で最も重要なのは、住民と土地の把握であり、それを日々の文書業務として正確かつ迅速に記録処理する必要がある。しかし実際には、住民台帳のようなものが日々記録されているわけではなく、住民の転出入などは、村役人の記憶が頼りである。土地の所有関係も、税徴収簿に記載されているだけで、土地登記制度は徹底していない。地税支払いが所有権を主張する際の根拠とされるが、そのための土地税課税台帳（Buku Cなどと呼ばれる）は1960年ころまでに作成されたきりだ。その後の変動が記録される場合でも余白に追記されていればよい方で、実際の変化を追うことはほとんどできない。土地登記は最近進みつつあるとはいえ、農村部で一般化しているとはいいがたい。村役場でパソコンを用いた事務処理が行われるのは稀だ。どのデサも、村役場の建物よりイスラームのモスクの方がはるかに立派で、住民自身の村行政に対する関心が低い。基本的な行政サービスは、上級の県（kabupaten）の支所である郡（kecamatan）が担っている。

日本国内では行政サービスの受け皿として市町村の行政とその事務体制がフルに活用されるが、日本の援助では、このような方式を前提とした援助が行われることが多い。村が、一体性を持った近代行政を遂行できる単位として見られるあるいはそのようなものとして育成開発するという指向が日本の援助には強かった。日本の研究者は、行政村やその下部単位となったコミュニティとしての集落を「自治村落」などと呼ばれる共同体ととらえてきた（註11）。日本の「自治村落」論にしても、今日の市民社会を生み出すインキュベーターになったかどうかという点では、検討が必要だ。日本に限らないが、開発の対象とする行政の末端に位置するコミュニティがいかなるものか、国家すなわち行政府との関係がどのように構成されているか、十分な理解も検証もないまま、無自覚に援助側の自文化コミュニティを想定した押し付けがましい開発支援をする傾向があったのではあるまいかと懸念される（註12）。

途上国の政府が主導して行う開発政策、特に農民などを対象とする農業開発や様々な行政サービスが、受け手のいる農村の段階でうまく実施できず頓挫してしまうケースが少なくなかった。このため、村といったどこにでもありそうな末端行政を通さず、日本でいう県や市に相当する地方行政が推進するか、中央政府が直接様々な利益やインセンティブ提供、監視の方策を講じて実施するといったことも多かった。だが上からの行政は、コミュニティレベルで人々を首尾よく把握できない。コミュニティと行政府との関係がどのようなものかについて歴史を振り返りながらインドと日本の事例を中心に観察してみたい。

### 3.2　インドのICSとコミュニティ・ディベロップメント

インドについて、コミュニティと国家という観点から、上からの行政の特徴について少し詳しく見ておきたい。オリエンタリズムの対象とされてきたアジアについての見方をもう一段掘り下げて検討させてくれそうな興味深い事例であるインドのICS（The Civil Service of India）、かつてインドで行われていたインド高等文官制度いわゆるICSをみておこう。

ICSは発足当初、受験資格自体がイギリス人に限られていた。貴族階級の子弟などで十分な相続を受けられなかった者が多く受験した。まだ東インド会社時代だった1853年に当時としては全く新しい公開試験制となり、1855年以降実施され1943年の停止まで続いた。受験者の主力は、オックスブリッジであり、植民地官僚に、最優秀の人材を選抜していたといっても過言なさそうだ（註13）。選抜された彼らは、インドのガーディアン（守護者）としてインド統治にあたったが、出生、教育、厳しい訓練、勤務・生活態度においてまさに理想像に近い守護者とイギリスで見られていた。時代はビクトリア朝の隆盛期、ジェントルマンが統治者として絶対視されるイギリスの規範がそのまま輸出されていたといえる。イギリスの統治の一貫性はICSによって保証された（浜渦、1991、p.66-67）（註14）。

統治の進展により植民地官僚のニーズが急増するようになると、被支配者たるインド人の受験採用を認めざるを得なくなった。第一次世界大戦後、1922年以降イギリスとインドの両地で試験が行われるようになった（註15）。公開試験によるICS採用では、イギリス人がインド人に侵蝕され30年代も末になると合格者は各々600人近くになり、インド人に拮抗されるといってもよい事態になっていた（註16）。1930年代には、中央政府内の局長、州政府では次官クラスにまで進出するようになり、実力によってICSのインド人化が進んだのである。イギリスのインド統治は、官僚による統治であったが、高級官僚のICSの新規採用の半数近くがインド人となっていたことで、イギリスが意図したかどうかはともかく権力を委譲する受け皿を用意していたことになる。また、ガンジーによって率いられた非暴力によるインド独立へのゆるぎない動きは、統治者に比べても知力でいささかも劣らない実力があるとのインド人の自覚が影響していたかもしれない。「植民地ナショナリズムの勃興にとって、インテリゲンチアが決定的役割を果たしたことはよく知られる」（アンダーソン、p.198）。彼らの読み書き能力と二重言語が植民地ナショナリズムの前衛的な役割を果たした。

しかし、被支配者であった者たちが二重言語の世界を生き褐色の（あるいは黒い）肌をしたクレオール官僚となった時、インド人は植民地で多く見られた政治的に不能な賎眠（パーリア）事業家の地位にとどまらなくなり、オールドルーラーの肩代わりをする行政能力を獲得していった。イギリス植民地だった中東や、南アフリカ、東アフリカでも、このようなインド人は、商人としてのみならず植民地の役人や専門職などとして渡航、クレオールとして一定の地位を築いた。インドに限らず、統治機構において重要な役割を果たした。今日のアフリカに見られるインド系の人々の中にはそのようなクレオールの子孫も少なくないであろう。さらには、二重言語を生き抜くインド人の国際機関、学会、経済界などの今日の世界舞台での活躍の基礎につながる。

社会の近代化、農村の貧困解消、食糧増産のために行われたのがコミュニティ・ディベロップメント（CD）である。CDはイギリスの植民地政策の過程で生まれたもので、1948年イギリスの植民地行政官会議で正式に採用されアフリカの植民地を対象に適用された（Holdcroft、1984）。独立後のインドに1952年に始まったプログラムが最初の主要な実施事例となった。1950年代には、アジアやアフリカで広くおこなわれることとなり、1960年までに60カ国以上で実施された。アメリカのフォードファンデーションや外交当局もインドなどアジアを中心にこれに参画した。

しかし1960年代半ば以降、食糧増産という技術変革を主目的とする緑の革命に関心が移行するとともにほとんどが終了打ち切りとなった。緑の革命の遂行は、農業技術の革新とそのための制度改革が大きな柱だった。そのためにアジア諸国のいくつかの例では、日本でいえば県や市レベルの地方行政が中央政府主導の下で重要な役割を担った。末端の農村の行政は十分に機能せず農村レベルでのガバナンスが不徹底だった。このため、世銀が主導したTV（Training and Visit）のような農業技術の普及事業は中央政府主導で行われ、全国をカバーするための巨大な農業普及員（Extension Worker）制度が構築されたが、村役場の吏員が直接かかわる仕組みにはならなかった。

コミュニティ・ディベロップメントは市民社会形成をも意図した開発努力といえようが、1950年代にイギリスが支援しインドで行われたCDは概ね不首尾に終わった。関心が急速に失われた要因には様々あるが、CD自体の問題としては、既存の地方権力構造を前提としていたこと、村のコミュニティレベルに派遣されたCD活動員は、村の伝統リーダーと連携癒着はするが、ために村の富裕層の経済的社会的地位を強化する程度にしかならなかった。農村社会を占める貧しい人々が関心の中心にならなかった。農村社会が自営的農民からなる比較的均一な社会ではCDは成果を上げ得たが、アジアやアフリカの多くの農村コミュニティは利害の異なる集団、全く土地を持たないかほとんどもない農村民、生存ぎりぎりの村人とわずかな自立的な農民や商業活動も行う農民などからなるような社会だった。このようなところでは、社会の権力構造自体の変化がCDを成功させる要件であった。コミュニティ・ディベロップメントが進められる中、村落についての理解を深めようとの研究も行われたが、そうこうするうちにインドに限らず多くの途上国では食糧の増産「緑の革命」に国政の主たる関心を移してしまった。

インドでは、農村社会を構成する農業カーストと他の低いカーストとの間には大きな社会的な分断があり、今日なおその傾向は多かれ少なかれ持続している。そのような条件下では、政府の行政サービスの提供はコミュティ内部の対立をあおるだけになって効果をあげられず、有力な上層農民にかすめ取られ開発支援が効果的に均霑（きんてん）されないといった問題が継続した。インドでは独立後ほどなくスタートした、コミュニティ・ディベロップメントだったが、成功しなかったのは一つにはこういった実態についての分析認識が不十分だったうえ、権力との関係で内部構造の持つ影響を修正、改革する手段が未成熟だったからであろう。手段や結果の平等のみでなく、条件そのものの平等が確保されていなければ、真の平等な社会は実現しない。行政府はインド人化してはいたがイギリス支配のもとでの支配の体質はそのまま存続した。初代のネルーは、そのような体質の元凶となったICSを発展の障害とみて嫌ったが、独立後もICS官僚は長く存続した。コミュニティ・ディベロップメントの時代、インド農村社会についての理解にはかなりの進歩があったであろうし、ICSはじめとしてインド人自身の行政官や研究者もいたのだが、イギリス人にも劣らぬ優秀な褐色の富裕層出身クレオール官僚は、インド国民にとっては警戒すべき支配者「褐色のイギリス人」に過ぎなかったかもしれない。

## 第四節　コミュニティと国家

### 4.1　コミュニティと権力

国家と国民（臣民）とを媒介する（市民）社会との関係について、パットナムは南北イタリアの比較を通じて、示唆に富む研究成果を示した（以下パットナム、2001、第6章による）。南部イタリアは、ノルマン人の支配したシチリア王国が成立しそののちにはスペインの支配下に置かれるという長い歴史がある。ノルマン支配下では、「サラセン人」による優れた官僚制度が整えられ、完備された徴税機構が成立し、傭兵によって厳しく支配された。そこでは、恩顧・庇護主義的関係が基軸化し、垂直的な関係が重要となった社会である。市民的な相互協力より権力者にすり寄り、税金逃れのロビー活動などにより利を引き出すなどの阿り行為により大きな利得が生じる社会だ。こういったところでは、家族、親族、親友間などの狭い小さな集団が強固に発達し、より大きな社会的な集団を構成して協力し合い究極的には権力に対抗するといったインセンティブにかける。社会は小さくセグメント化しているので異民族は統治しやすいということになった。これに対して北部イタリアは、コムーネをベースにした都市国家が成立して、他民族などからの強権的支配を受けなかった地域だ。様々な水平的なネットワークが成立し、協同することにより多くの利得を得られる社会でもある。こういったところに市民社会がいち早く成立し、これが今日には民主主義を機能させ、工業化にも成功し経済的に豊かな社会を作ったという。ノースやオームストロームなどの新制度学派の研究成果と軌を一つにしている。ただこれも、アメリカの政治文化を基本にしたオリエンタリズムだとの批判がある。これに対して、パットナムは統計データを駆使して分析を強化している（格段に客観性と説得力を高めたとは思えないが）。

重要なのは、国家と国民（臣民）とを媒介する（市民）社会のありようで、自治的機能を発揮できる凝集性のある社会が形成されない場合には、国家・支配者との距離を取り、国家が提供するサービスを取捨選択するよりもむしろ拒絶することも選択肢としてある。近世の東南アジアで見られそして今日でもその名残りをとどめた人々が、インド、東南アジア、中国の国境地域をまたぐ山間部に広く分布している。これらの地域に存在する少数民族である。その面積は200万平方キロに及び、今日の人口でいえば1億人程度に達する「ゾミア」とスコットが称する社会である（スコット、2013）。平地の王権の支配を受ければ、軍事的防衛を始め今日でいう行政サービスを受けられる反面、徴用、徴兵、納税などを強制され、またしばしば文明のパンデミックな疾病を社会に持ち込まれる。これを逃れ支配にあらがう社会というものが存在した。社会集団を小さく保ち、文化的社会的アイデンティティをあえてあいまいにし、文字さえ捨て、エリートを育てず権力との媒介を持とうとしなかった、「自己野蛮化」した社会である。支配をかくも嫌ったわけであるが、近代国家においてでも、「自己野蛮化」とまではいかなくともこのような逃避的回避的性向はどのような社会にもありうる。社会の内部に亀裂があればこのようなことはより生じ易いだろう。社会と権力体との関係は多様である。であれば、農村の行政機構をフルに活用した日本のような明治以降の近代行政とは異なったアプローチが、途上国の開発で考えられなければならなかった、ならない、のは必然であろう。

共同体というのは、生得的にその帰属が決められている小社会というのが一つの定義になろう。それは、イエや世帯などの家族単位よりは大きく、今日の市町村といった行政単位として存在する場合もあればその下部機構になっている場合もあろう。ただ、今の日本の行政市町村には、共同体としての性格を見ることはほとんどできないだろう。他方、イタリアのコムーネは、都市国家を形成し今日なお都市社会としても生き残っているようであるし、フランスなどは、フランス革命時に設けられたコンミューンが基礎的自治体として今でも機能している。中には、日本の集落程度の規模しかない場合もあるが、自治体として行政を担っている。メンバーが生得的に固定されているとは考えにくいが、これらのコミュニティは市民社会の基本的な構成単位であり、いずれも日本語に訳せば共同体である。

### 4.2　日本の村と国家

日本の近世、徳川の幕藩体制下、「自治村落」と呼ばれる農村共同体が成立する。自治というのは、権限として立法、行政、司法の機能を有することだが、今日の集落や部落あるいは大字などとして残る江戸時代の村には、そのような機能が存在した[註17]。今日の三権と同じではないにしても、類似の機能を果しえたことが知られている。フランスのコンミューンのようでもあるが、合理的に意思決定する自律的で自由な個人からなる市民社会で基礎的自治体として機能する西欧流の市民社会の要素としての性格は、今の日本の集落にもかつての「自治村落」にもないといってよい。今日の集落には行政的な自治団体としての権能はなく、せいぜい行政の受け皿として、つまり住民自治の下部単位として行政との窓口機能を果たす程度になっている。しかも昨今の過疎化高齢化現象により、限界集落と化し消滅しつつある。

話は戻るが、明治５年、太政官布告により、旧来の村の名主や庄屋、年寄などが廃止され、戸長や副戸長が村の事務を引き継ぐことになった。そこには引き継ぐ事務があり、旧来の組織が利用され、名主などがそれを実質的に引き継いだ。さらに同じ年に施行された壬申戸籍法にもとづく戸籍作成や、地租改正に伴う徴税事務、さらに徴兵事務などいわゆる国政事務に当たった。このように、明治の行政制度の制定時には、人々は「自治村落」を基本的な生活の基盤、生活圏としていた。その後、三転四転を経て行政の基本形として新たな町村が形成された。ここでは、権力との関係と共同体内部の構造とが重要だが、他のアジア諸国に比べれば集落や町村の均質性はかなり高かったとみられる。権力との関係が「自治村落」たる集落の命運に大きな影響を与えた。当初、当時のプロイセンのように、残されていた集落を、必要な事項によって組合化する「組合町村」化が推奨された経緯もある。フランスのコンミューンなどは今日もこの形をとどめており、例えばいくつかのコンミューンが組合を形成して行政事務を処理するなどが行われている（石井、2017)。この方策が実現すれば、「自治村落」なるものが今日なお行政単位として命脈を保っていたかもしれない。町村制として上からの権力によって強力に作り出された町村の内部で、当初は従来の「自治村落」（集落）が機能して二重構造の様相を呈した。このことが国家権力によって利用もされたが、その後の展開で共同体的性格を持った集落の機能は様々な形で行政に吸収されていった[(註 18)]。

末端の基礎的自治体をどこに置くか、旧幕藩体制の農村を生かすか否かなど、明治初期、日本の地方自治、地方行政をめぐって三転四転して落ち着かなかったが、後に内務卿となった大久保利通は、旧慣行を利用しつつ事態を前進させる折衷案で進めることを提言した。村行政は、江戸時代のいくつかの村をまとめた形で進められたが、旧慣行を利用して秩序の維持が図られた。土地制度も同様であるし、そのようなさまざまな慣行を近代法に吸収する手続きが取られた。農民の水利権などは、慣行水利権として近代法の中に組み込まれたし、山野を共同で利用する入会の慣習も、入会権として法的な形と権利が与えられた。しかし、これらが今日なお様々な問題を抱えていることは周知の事実だ。「日本は新文明を、注意深い政府の統制の下で、引き入れる道を熟慮しながら選んだ、、、、貨幣や機械のような統制されない要素にも拘わらず、日本は特に須恵村で論証されたように、この政策が地方で成功したのである。」と1935-36年の1年間熊本県の須恵村を調査したエンブリーは指摘した（エンブリー、1978）。西洋文化を統制された形で採用し、農村行政もこのようなコンテクストの中で形成された。

それぞれの民族の暮らし向きと彼らが抱える文化様式は伝統に支えられてきた。成文化されてない伝統的な慣習の体系があり、そのもとで秩序が保たれてきた。そのような慣習法と西洋起源の近代法との間には少なからぬ隔たりがある。開発を速やかに推進することはどの社会にとっても優先課題だが、開発という現実行為は、人々のアイデンティティの動揺とパースペクティブの変容、社会の緊張と混乱を伴いやすい。旧植民地などを含むいわゆる現在の発展途上国の開発で、文化的相対主義、法的多元主義を受け入れつつ発展問題・課題に取り組まざるを得ない状況は、大久保が提言した言うなればシンクレティズム的発展手法に似ている。日本でシンクレティクな手法が比較的速やかに効果をあげられたのは、異民族支配を受けずインドの例に見られたクレオールやカーストのような社会を異質化する構造要因が圧倒的に小さかったためとみてよい。だが、動揺と反発をかう変化を極力避けようとするシンクレティズムは問題の本質的な解決を先送りするリスクも高いことを日本の経験は示している。今日の文化的相対主義や法的多元主義そして開発政策は、問題の解決策として適用されていると同時に問題の元でもあるという矛盾を抱えている。

## 第五節　発展における日本の課題

### 5.1　日本における異文化導入の特徴と課題

国際とは、国の「きわ」であり、特に日本の場合など、国際化といってもこの「きわ」の「調整」という国際化にとどまってきた。だがグローバル化の進む国際社会の中で、国の内部自体の国際化、というよりトランスナショナルというべきか、言語も、文化も歴史も一国の枠を超える変化、異質化を受け入れる必要に迫られている。極端な例では、ヨーロッパで今起こっている本格的な移民が東アジアで起これば、社会全体として、中途半端なキワの調整では、どうにもならない（この点で、小国・地域である香港やシンガポールの変化とその社会状況は注視に値する）。同質化した社会の方が落ち着きが良いが、しかし異質化ということが社会を豊かにし活力あるものにしてくれることも確かだ。圧倒的な西欧文明の影響を受ける中、いち早くシンクレティクな方途をたどって近代化を実現し今日までにたどり着いた日本の社会経済システムは、グローバル化する世界の中でどんな特徴と課題を抱えているだろうか改めて考えておく必要がある。

明治維新以来の日本の異文化の捕捉・導入の努力は、投企的で試行錯誤であることには違いないが、輸入可能なモデル化、モジュール化の工夫を巧みにこなした一方的な日本への輸入であり[(註19)]。それは社会や文化のアプリオリな共通の基盤を探求する努力でもなければ、共通の基盤を新たに作ろうとする努力でもなかった。富国強兵時代の国民経済の発展では、他国の文化や文明との共通基盤の構築など考えることもなく努力をしたが、ついには周辺国を植民地支配するという道をたどった。経済的に先進国に躍り出た20世紀末以降、自国中心の従来の発展モデルは通用しなくなった。肥大化した経済、特に資本は相対的に小さくなった国民国家の中だけでは存続できなくなった。次々に経営破綻を経験した日本の電器産業はその典型事例だ。単独の国民経済自体が解体しつつあって、経済に限らず世界の中で共通の基盤を求める努力、共通の基盤を新たに作ろうとする努力なくして、日本が成り立たなくなっている。

「日本」の国号と「天皇」の称号使用を開始する契機となったとされる乙巳の変（大化の改新）を、今でいう一民族一国家の成立とするなら、1400年近い途方もなく長い歴史を持つ日本だ。国の枠を取り払って国際化を考えることが難しいのは当然ではあろう。民族や資本が、そんな概念の無かった時代以来、超長期に国家という鎧をまとった形はかなり頑健である。しかし資本の本質は、国家を利用しながらもその枠に縛られず平気で国や社会を超える、いや見捨てるといっても良いだろう（註20）。今年2020年、香港の国家安全法の適用でも資本の反応はシビアだった。イギリス政府としては、同法の適用に反対しているようだが、イギリス資本でありながらも香港を拠点に活動する世界企業HSBC（香港上海銀行）や、ジャーディンマセソン、スワイヤーなどのアジアを代表する歴史のあるかつての植民地企業はいち早く国家安全法の適用を承認、中国政府の方針に従うことを表明した。中国との良好な関係なしに資本は守れない、雇用も維持できないと判断したのだろう。このような資本に対して、日本という国はどう臨むことができるのだろうか。

社会システムが国民に受け入れられ正統化されるのは、政府や企業その他さまざまな社会集団の編成が「合法的」であり、もう一つはそれらの活動が「有効的」あるいは「効率的」であることだろう。日本の近代化過程で、西洋の制度を導入する際には、この合法性が重視され、法整備が積極的に行われ法治国家の体裁を整えた。隋との外交関係を築かんとして十七条憲法などを制定した聖徳太子の時代にも通じるものがある。かくして日本は法治国家であり合法的な社会システムであろうことにはさほど異論はないだろう、だがその有効性や効率性では問題を抱えている。

新型コロナ肺炎問題を奇貨として、大学の9月入学といった提案が宮城県知事から出されたが、実施上の様々な困難さが指摘されてうやむやになってしまった。日本の特に初等中等教育は、全国津々浦々で同じレベルの教育サービスを提供している見事な巨大なシステムだが、ここに影響が及ぶ制度変革となれば、綿密に練り上げられている様々な事務体系、組織、人事、予算制度、そして関連法のすべて変えなければならない。変革は大変困難で、変化のメリットがデメリットより大きくないとの結論に容易に至る。既存秩序をどう維持できるかという統治が常に前提となってしまう。微調整にはたけているが戦略的転換が難しい社会だ。

行政も企業活動も一円の間違いも見逃さない会計システムを備えている。小事、弥縫（びほう）に特に厳しく、手続きは厳密だ。しかし他方で、億単位の不正融資はしばしば起きるし、バブル経済崩壊のように誤った政策によって数兆数十兆円単位の富がいともたやすく失われてもほとんどだれも責任が問われることがなかった。社会のデジタル化の遅れ、企業や行政サービスの生産性の低さも、社会全体としての有効性、効率性の欠如を示している。申請手続きが面倒だが何の役に立つかわからないマイナンバー制度や、新型コロナ肺炎対策として提供された「定額給付金」の支給手続きの混乱（インターネット経由より従来の郵便の方が早い）など噴える話が次々に現れている[(註 21)]。「手続き」の効率性欠如は、かなり重い弊害とみるべきだろう。ハーバード大学サンデル教授のいう「手続き的共和国」の弊害が日本では深く浸透しているようだ。意思決定の常道は先例主義で、プライオリティを定めそれに応じて時に手段と目的も入れ替えるなど柔軟な対応ができない。先進事例や外圧がなければ、自ら問題を修正し変わろうという変革意志が弱い。一つには、情報量の少なさとその分析力自体の低さの帰結であろうが、これでは第二次世界大戦を戦った旧日本軍の失敗の体質と変わっていない。行政府の合法性まで疑われる事態だ。

### 5.2　蓄積した資本の運用

日本の経済発展の結果である蓄積された資本が直面している今日的問題を検討しておく。資本の運用とは、本稿の文脈からして唐突の感は免れないが、日本の近代化の過程と結果を反映した社会の特質を示すものとしてとらえたい。まず発展過程を農業・農村から大急ぎで概観すれば、以下のようになろう。

旧村由来のリーダーを中心に豪農層が形成されていて、明治期には農業内部の資本蓄積に重要な役割を果たした。明治政府もそのような期待のもとに活用し地主小作関係が強化されることになった。しかしやがて産業資本が勃興し発展していくにつれて、地主層にとって農業内部での投資報酬が少ないことが顕在化した。やがて産業資本へと投資を向けるようになると彼らは寄生地主化していった。資本蓄積の基軸が産業資本に移るにつれ地主小作関係は単なる搾取構造になって、農業や農村内部での資本蓄積メカニズムとして機能しなくなった。その結果、農村の貧困問題、小作争議として、社会問題が深刻度を増した。対策として、政府にとっては自作農創設など農民の自立化が大きな課題とされるようになったが、それが実現したのは戦後の農地改革だった。しかしここでは、水稲を中心に1ヘクタール程度の経営規模をモデルとして農家経営の業態が固定化される結果となり、1960年代の高度成長期以降顕著となった非農業部門との所得格差、生産性格差の打開策が見いだせなくなった。かなり長い期間にわたり兼業農家化によって所得格差の問題をかわすことはできたが、やがて90年代以降になると政府が用意するような旧来の業態や経営サイズが意味をなさなくなり、農業の構造改革が必要となった。業態や経営規模を始めとして農民自身による創意工夫によって発展を促進しなければこの問題の解決は難しい。日本の農産物が近隣アジア諸国に輸出可能な商品であることは、展望の一つとして大きく期待されるところだ。農業・農民像自身が本質的に変わる時期が来ているのが今日である。

経済発展の結晶として蓄積し築き上げたのが日本の資本である。日本の農業セクターと農民は、地価高騰という思いもしなかったチャンネルを通じて、発展の成果を受け取ることになった。この資本を運用する動きとして、バブル経済崩壊以降結果的に時間はかかったが、改善の方向に進めたのは日本にとって幸運だった。ゆうちょ銀行の民営化や年金運用機構（GPIF）の設立などがその例だ。政府による財政投融資などの運用から、各々の機関による資本市場での運用システムに変わった。法治による合法性が、効率性改善の必要を受け入れて変化できた事例とみたい。しかし問題は終わっていない。日本の個人金融資産は、1800兆円超におよぶが50%以上が現預金にとどめ置かれ、運用に回っている比率は、米国の3分の1以下、ヨーロッパの半分にも満たない（農林中央金庫ホームページより）。金融機関に運用力がなく、また運用先が国内になく投資チャンスが少ないということであろう。

今でも、政府が主体の運用が続いているのが現実で、それがいわゆる建設国債や特例国債などからなる普通国債だが、900兆円に達する規模となってしまった。民間の企業や団体が多様な投資活動を展開しないと、リスク分散のうえではなはだ危ういし、将来を見通せない情勢の中に展望を開くことはなおさら難しい。新たな社会経済を創出するという高邁なビジョンがなければ、貯まってしまったこのような膨大な資本は使いこなせない。単にマネーゲームを繰り返すしかない。知恵ある投資家をシステマティクに生み出し、その知恵を活用して新しい需要を創出し、新しい時代を築いていく具体的な仕組みが必要とされる。官僚機構の中でアップルを率いたジョブズのような知恵者を輩出できる保証はない。

手続き的な合法性を隠れ蓑に効率性の正体を見せないのが行政府の体質だが、行政機構の末端の町内会的自治の中に押しとどめられた市民にはこのことが良く見通せず、さほどシビアに問題を認識していない。シンクレティクな方途をたどっていち早く近代化を実現した日本の社会の特質がここに色濃く反映されているのではないか。国家も企業も資本を使うインスツルメントだとすれば、国債の分だけでも900兆円に上る資本の究極的な運用責任は国家運用ではなくむしろ市民にあるのではないか。しかしそれを実現するための具体的なチャンネルがないのが現実だ。市民団体といえば聞こえは良いが、ほとんどが資金力不足だ。日本の途上国支援も、多くの民間・市民団体がかかわるようになってきたが、資金源はほとんどが政府である。このような仕組みを変えていくには、社会経済を高いところから俯瞰できる教養と知恵が市民一人ひとりに求められているというべきだろう。20世紀初めまでのパックスブリタニカの時代に蓄積した資本をもとに、巧みな資本運用力を駆使してイギリスは20世紀の100年間を生き抜いた。

## おわりに　中国をどう見るか

日本は明治以降の近代化の過程で、和魂洋才などを掲げ、これ自体オリエンタリズムとして批判の対象となるスローガンだったが、異文化としての西洋文明・文化をシンクレティクな手法で巧みに導入し、いち早い経済発展を達成した。しかし、少なくとも3つの大きな課題を残した。第1は、今日でいう法的多元主義的な法・行政改革を進めるなど合法性を保証する法治国家の体裁を整えることに成功し、社会の末端まで行政サービス（支配とも言えるが）が行き届く社会を実現したが、市町村の自治行政は欧米などのコミュニティをベースにした市民社会の要素としては機能が弱い。町内会や「自治村落」を起源とする集落の今日は、単に住民の意見集約と陳情受付機関として利用されるにすぎない。第2に、有効性という評価軸では、「手続き共和国」的な性格を濃くし、効率的な社会の実現のネックとなっている。第3に、欧米に限らず、他の文化との共通基盤を築く努力を回避してきたために、今日、多くの分野で国際化の遅れなどという批判にさらされるにいたる。「キャッチボールのできない野球狂」は、いまだ続いている。いま求められるのは、「きわ」の調整としての国際化ではなくトランスナショナルな変化であり、より本質的な転換が必要な時代に入った。

西洋の異文化を「異文化」化して発展してきた日本は、今日どのような市民社会を実現しているのか、西洋の啓蒙主義を受け入れていると思われるし多くの市民団体が成立し活動もしているが、それで市民社会が成立したことになるのかは筆者にはよくわからない。加えて折衷主義の桎梏を引きずって、合法性と有効性の乖離問題が噴出しつつあるときに、合理的な社会経済運営が持続的に可能か不安がある。こういった中、現実問題として特に今日重要なのは、台頭する中国という社会経済システムとどう向き合うかということだ。日本と同じ構造を持った社会経済でないことは、社会主義経済であることを除いても多々伺える。どう中国を理解したらよいかということであり、翻って日本自体がどんな社会なのかという疑問でもある。

先年筆者がサセックス大学で客員教授を務めた際の見聞だが、イギリスのある研究グループは、中国人研究者を交えて浙江省の義烏（Yìwū）市の物流、世界ネットワークの調査をしていた。世界の百円ショップやワンポンドショップの生産・物流のいわば世界大の拠点である。中央アジアの商人たちが内陸アジアとの流通を担っていて、その彼方のヨーロッパにも商品が流れ込んで往く仕組みになっている。義烏には多くの中央アジア出身の商人たちがいるが、研究の最大のテーマは取引の信頼関係であるそうだ。遠隔地交易であるから商品の調達・確保、支払い、決済等のために、各々の国内、国境間の通常の金融取引、商業裁定方式が確立しているわけでなく、商人同士の人的信頼関係が基礎になっている。しかし、この信頼関係をもとに、国境をまたいだ取引業者間の脱法行為が奔放に行われるのだという。商人の活動に一様に不信感を示す研究者たちではあった。中央アジアからの多くの商人らは、現地に居を構えて中国人と婚姻関係をむすぶ例も少なくないのだという。法治が貫徹しないのであれば、他のありとあらゆる手を尽くして商取引を円滑に進めるしか手はない。

中国における社会の秩序付けの基本が士庶論と、理気論に基づく人知を基本とするという寺西の議論が示唆に富む（註22）。士と庶あるいは官と民の分断については、岡本隆司の論考が参考になる（岡本、2013）。社会主義的市場経済は、このような分断の上に成り立っているようである。寺西は「法制度による秩序付けと一体の自由・人権など啓蒙的価値は、エリートによる人治の下で奔放に行動する中国の非エリート層には理論上意味を持たない」という。そこで、真の問題となるのは、国民一人一人の内面化された経済社会感が西洋の啓蒙的価値の低評価をもたらしていることだと寺西は指摘する。独特の家族観と先祖崇拝が社会を縦に分断していて公共意識による社会的な意見の集約が難しくなり、ルールとしての法制度による市場と社会の秩序付けを困難にしたというのである。確かに商人の活動は奔放に見える。義烏の商人たちはこの具体例のようである。このような合法性と有効性が露骨に分断した条件下では、日本企業も欧米企業も活動上困難な事態に直面するのが目に見えている。法に従えば効率性が失われ中国以外の企業は競争に負け、効率性を達成するには合法性をないがしろにしなければならないとすれば、共同行動が成り立たない。

中国が啓蒙思想を深く受け入れたとすれば日本がおそらく求めてきたであろう市民社会と方向性としては同等になろうが、そうではなくしかも士から分断されている庶のあいだに成り立ちうる社会というのは如何様なものなのか。西洋の啓蒙的価値を低く見ているとすれば、今日の「中体」は西洋の市民社会とはかなり違っているかもしれないが、ここが見定まらないと日本のみならず他の世界にとって経済活動以上の様々な困難に直面しよう。トランスナショナルな変化への路程は険しそうだ。翻って、「和魂」はどうだろう、私たちはどのような市民社会を創っているのか改めて気になる。

## 参考文献


青木保『逆光のオリエンタリズム』岩波書店 1998.

赤羽裕『低開発経済分析序説』岩波書店 1971.

アンダーソン、ベネディクト『想像の共同体－ナショナリズムの起源と流行』白石隆・白石さや（訳）リブロポート 1987（Anderson, Benedict, *Imagined Communities: Reflections on the Origin and Spread of Nationalism*. London: Verso Editions and NLB., 1983）

石井圭一「小さなコンミューンが地域自治と田園回帰に果たす大きな役割」大森彌他編『世界の田園回帰』農文協 pp.62-85, 2017.

エンブリー、ジョン F.『日本の村：須恵村』上村元覚 訳 日本経済評論社 1978（Embree, John F. *Sue Mura : A Japanese Village*. New York: Black Star Publishing, 1939）

大鎌邦雄「日本における小農社会の共同性－「家」・自治村落・国家」杉村薫　他編『歴史の中の熱帯生存圏－温帯パラダイムを越えて－』京都大学出版会 , pp.303-332, 2012.

大塚久雄『共同体の基礎理論』岩波書店 1955.

岡本隆司『近代中国史』ちくま新書 2013.

姜尚中『オリエンタリズムの彼方へ』岩波書店（岩波現代文庫 2004 年）1996.

小谷汪之『共同体と近代』青木書店 1982.

児玉由佳「「市民社会」の概念の変遷と「開発」との関連－発展途上国への適用可能性を探る－」児玉由佳編『アフリカ農村における住民組織と市民社会』調査研究報告書 アジア経済研究所 2008.

サイード、E.W.『オリエンタリズム』上下２巻　今沢紀子訳　平凡社 1993（Said, Edward E., *Orientalism,* New York: Georges Borchardt, 1978）

斉藤仁　大鎌邦雄　両角和夫『自治村落の基本構造「自治村落論」をめぐる座談会記録』農林統計出版 2015.

スコット、J.C.『ゾミア－脱国家の世界史－』佐藤仁監訳　みすず書房 2013（Scott, James C., *The Art of Not Being Governed: An Anarchist History of Upland Southeast Asia.* New Haven: Yale Univ. Press, 2009）

土屋健治『カルティニの風景』めこん 1991.

野家啓一『はざまの哲学』青土社 2018.

パットナム、ロバート『哲学する民主主義』河田潤一訳 NTT 出版 2001（Putnum, Robert D. *Making Democracy Work: Civic Traditions in Modern Italy.* Princeton: Princeton Univ. Press, 1993）

浜渦哲雄『英国紳士の植民地統治－インド高等文官への道－』中公新書 1991.

速水祐次郎『開発経済学』創文社 1995.

松村圭一郎「エチオピア農村社会における公共圏の形成－市民社会／共同体の二元論をこえて－」児玉由佳編『現代アフリカ農村と公共圏』アジア経済研究所双書 2009.

森安孝夫「内陸アジア史研究の新潮流と世界史教育現場への提言」『内陸アジア史研究』26, 2011.

渡辺京二『逝きし世の面影』平凡社ライブラリー　平凡社 2005.

Holdcroft, Lane E., "The Rise and Fall of Community Development, 1950-65: A Critical Assessment." In Eicher, Cael K. and John M. Staatz, *International Agricultural Development.* Baltimore: Johns Hopkins Univ. Press, 1984.

Popkin, Samuel. *The Rational Peasant: The Political Economy of Rural Society in Vietnam.* Berkeley: Univ. of California Press, 1979.

Scott, James C. *The Moral Economy of the Peasant: Rebellion and Subsistence in Southeast Asia.* New Haven: Yale Univ. Press, 1976.

Wade, Robert, *Village Republics: Economic Conditions for Collective Action in South India.* Cambridge: Cambridge Univ. Press, 1988.

Wong, Susan and Scott Guggenheim, "Community-Driven Development Myths and Realities." Policy Research Working Paper 8435, World Bank, 2018.

## 【註】

1)　日本の明治以来の発展に伴う日本のオリエンタリズムについては、姜尚中による指摘が明快だ（姜尚中、1996)。

2)　オリエンタリズムとは、「東洋」と「西洋」とされるものとの間に設けられた存在論的・認識論的区別にもとづく思考様式とされる（サイード、上 p.20）。

3) オリエンタリズムの光を浴びて初めて東洋の文明化の過程にあるとみられた人々が放った西洋によって知覚された光という意味合いで、第二の「逆光」の事例といえよう。

4) 三つとはアジア的、古典古代的、ゲルマン的の各共同体を指す。マルクスの「社会経済学」についてサイードはその内容には触れず、「人間をひとつふたつの究極的で集合的な抽象概念に還元し」人間の実存的アイデンティティを対象としていないことを問題視している（サイード、上 p.355）。またそのインド論について「オリエントに関する .... 膨大な量の著述の集合体にも安易に依存し」、また「自分を擁護してくれるオリエント化されたオリエントのなかに身をおくことになった」と批判している（同、上 p.356-357）。

5) 直訳すればやはりコミュニティとなってしまう共同体だが、本稿の以下の部分では血縁や地縁などによる紐帯にもとづいて歴史的背景をもって形成された集団を想定している。個々人はかなりの程度生得的にこの集団への帰属が決まり、限定された空間と時間を共有している。共同所有を前提としているわけではない。

6) このような行き過ぎた事例についての指摘は、例えば渡辺（渡辺、2005 の第 1 章）など参照。

7) サイードは、「オリエンタリストたちの経済学的観念は、東洋人が本質的に貿易・通商・経済的合理性の能力に欠けているという主張から一歩も出るものではなかった」としている（サイード、下 p.139）。

8) 農村、農業といった時、本稿は漁村や山村、漁業、畜産業、林業なども含めている。

9) インドについては Wade（1988）、東南アジアについては Scott（1976）、Popkin（1979）などが各々の農村社会の特徴を明らかにした代表的研究。

10) 強制栽培制度は、インドネシア語では Tanam Paksa（強制栽培）オランダ語や英語では単に Cultuurstelsel, Cultivation System とされる。オリエンタリズムの一つの形を見る思いがする。

11) 日本の近世の村の自立性や様々な執行能力から、これを「自治村落」とみる見方だが、この自治は、ヨーロッパ例えば、イタリアのコムーネの自治と同じ内容の自治ではあるまい。権力との関係でいえば、権力に抵抗するというよりは、それに巧みにすり寄り与えられる機会を巧みに利用する団体として、イタリア南部のノルマン人に支配された農村の特徴に近い。イタリアのコミュニティについてはロバート・パットナムを参照（後述、第四節）。「自治村落」については、要を得た簡潔な解説として大鎌邦雄による「序—座談会の解説」（斉藤仁他、2015 所収）を参照。

12) 押し付けがましい開発論の例ではないが、共同体の機能に着目した開発論として、速水（1995）がある。

13) 「牛車の国のロールスロイス行政」などと揶揄された。出身階層は、貴族が約 10%、プロフェショナル・ミドルクラス（軍将校、聖職者、官僚、法律家、医師など）が 76%を占めた（1855 − 74 年）（浜渦、p.92）。試験科目では、ギリシャ及びラテンの古典、数学、英文学、英国史の配点が高く重視された。ICS の名称は、

1861 年から使われた。

14）イギリス本国の官僚採用が公開試験となるのは、1870 年だった。東インド会社は 1874 年 6 月 1 日に解散し、イギリス政府による直接統治が始まった。

15）第一次大戦後、敗戦国となったトルコに代わり、イギリスの中東支配が進んだ。そこでは当時のインド政府が重要な役割を果たし、例えば建国されたイラクの行政機構つくりにインドの ICS が派遣された。インドによるペルシャ湾岸統治は、1947 年インド独立まで続いた（浜渦 , p.7 -10）。

16）インド人の最初の受験者が出たのが 1862 年、2 年目の 1863 年にインド人最初の合格者が出た。詩人タゴールの兄である。ICS 初期には、近代教育普及の速かったベンガル地方からの受験者、合格者が多かった。多くの富裕層のインド人子弟が、イギリスにわたり、オックスフォード大学やケンブリッジ大学をはじめとする高等教育を受けるようになった。

17）「自治村落」が明治、戦間期、高度成長期にどのような変化を遂げたかは、大鎌論文に詳しい（大鎌、2012）。

18）日本における「自治村落」論は、日本的なイメージでの共同体論に逼塞した感が強い（斉藤仁他、2015）。他のアジアやアフリカの多くの国と異なり、異民族支配や、クレオールの支配を受けることなく圧倒的に均質な日本の社会であるが、このような条件と国家との関係について研究を深化させれば、国際的なコンテクストでアジアやアフリカの農村社会の理解と開発にも資するところがあると思われる。

19）モジュールとは規格化され独自の機能を持つ交換可能な構成要素（アンダーソン、p.14）

20）歴史的な例では、英蘭戦争時のアムステルダムの有力商人の貸付行動などがその典型かもしれない。議会保証のある貸し倒れリスクの低いイギリス国債をアムステルダムの資本家たちは購入するようになっていった。惜しげもなく国籍をかえようとさえする資本である。

21）30 年近い前アメリカのある大学の図書館を訪問した時のこと、電子化が進んでいて文献検索が端末から行われていた。日本も同様ではあったが、違ったのは検索カードボックスがすでに片付けられていて、利用できなくなっていたことだ。当時日本では、両者が併用されていたので、その思い切りの良さに感嘆した。切り替えが実にスムースに行われたようで、こうあってこそ生産性、処理能力が向上する。過渡的事態への対応であっても、併用していた日本では、人もスペースも二重に必要で何の節約にもならなかった。

22）寺西重郎「米中、「文明の衝突」避けよ」『日経新聞』2020.8.5.

# おわりに
## ウチとヨソの相克の中で

鈴木　岩弓

1.

今を去る60年以上前、東京の目黒区駒場町に住んでいた頃の話である。この地は、目黒区の最北端に位置する、北西方向に鋭く尖った形をした地域で、東から北を渋谷区、西を世田谷区と接していた。この町は、旧制第一高等学校の跡地である東京大学駒場キャンパスや著名な進学校など、教育機関が多数あることで知られており、当時の私は東京大学の西側に隣接した駒場小学校の一年生であった。

同級生の中には兄弟が戦中生まれの末弟もおり、時折そうした兄貴達が声をかけ、小さなわれわれも仲間に加え、徒党を組んで遊んでいた。ある時、何でも知っている憬れの兄貴分がこんなことを教えてくれた。「セタガヤの奴らには気をつけなきゃいけないぜ。あいつらは毎日一人は人を殺しているんだからな」と。当時の私が、「人を殺す」という意味をどの程度理解したかはわからない。しかしその一言により、ともかく「セタガヤの奴ら」は、危険で注意すべき怖い存在であるという認識だけはシッカリと植え付けられたのである。

折しもその数日後、私は母親からお使いを頼まれた。その店は、何とセタガヤにあった。それまで母と行ったことがあって道はわかるものの、普段行かないないセタガヤであったことは、数日前に聞かされた“注意喚起情報”に照らすなら大問題であった。行きたくはなかったお使いではあったが、私は重い気持ちで、嫌々家を出た。毎日のように遊び廻っていたノウキョウ（当時駒場にあった東京教育大学農学部の通称）の敷地を通ってキャンパスの外に出ると、いよいよセタガヤだ。見えはしない区境を越えると、その先は私にとって馴染みのない土地が広がる。母親と来た時のセタガヤの町並みは殆ど記憶に残っていなかったが、今回は違った。電柱の一本一本、生垣の木々の枝振りなどが、警戒心を持った私の目には一つ一つハッキリと映っていた。そうした時、たまたま前方から、年上の体の大きな男の子がこっちに向かって歩いてきた。マズイッ！と思った私の緊張感は極限まで高まり、ともかくその子と目を合わさずに、彼とは反対側の道の端を、極力目立たないよう、でありながら早足で通り抜けたのであった。その後新たな「セタガヤの奴ら」に出くわすこともなく買い物を終え、無事ノウキョウのキャンパス内に戻った時、ホッと温かい喜びに浸ったことはしっかり覚えている。ただ、今となっては何を買ったか全く思い出せない頼まれ物が入った紙包みは、汗ばむ手ですっかり湿っていた。

2.

おそらくこの時の経験は、私が自分とは“異質な人間”の存在を意識した最初の機会であった。もちろん、友人と喧嘩をしたことはいくらもあって、自分と異なる、自分の思うようにならない人間がいることはわかっていた。しかし、この時感じた「セタガヤの奴ら」というのは桁違いに異質であった。自分たち「コマバの仲間」に敵対する、抽象的かつ戦慄すべき存在であったのである。

こうした人間存在を、「ウチの者」と「ヨソ者」といったウチとヨソの対義語で整理できることを知ったのは、社会人類学者中根千枝による『タテ社会の人間関係－単一社会の理論－』（講談社現代新書、1967年）を読んだ時であった。本書において彼女は、＜資格＞と＜場＞という通文化的分析概念を設定して論を展開し、日本社会の構造分析を行った。＜資格＞というのは、職業・階級・年齢・性別などといった個人の一定の質を意味するのに対し、＜場＞とは地域や所属機関など個人が集団を構成していく際の枠を意味していた。もちろん、この両者が一致して社会集団が形成される場合もあるが、多くは両者が交錯し、異なる集団を形成する。中根は、他人に対して自己を社会的に位置づける際、＜資格＞によるヨコの繋がりよりも＜場＞によるタテの繋がりを強調するところに日本人の特徴があると言う。手近な例で言うなら、「教員」「事務員」「学生」という職種は＜資格＞、「東北大学」は＜場＞であるが、「教員」「事務員」「学生」の別に拘わらず、東北大学に関わる者の多くは「東北大学の○です」と挨拶することが通例である。

社会構造分析の枠組みから、日本社会の単一性を「タテ社会」の語で展開した本書は、出版から半世紀以上経っても色褪せないが、その前段で出てきたウチとヨソの対比も、私にとっては合点のいく新鮮な切り口であった。＜場＞を強調する日本社会の集団認識においては、自分の通う大学や住んでいる町を言い表す際に、「ウチの大学」「ウチの町」などとウチを付けて表現することが多い。かかる表現が定着している背後には、日本人にとっての大学や町が、個人がたまたま契約関係を結んでいる客体として認識されているのではなく、自己と一体化した主体として認識されていることが示されている。言い換えるなら、会社や企業といった＜場＞こそが、個人のアイデンティティーの根拠となっているのである。その点から言うなら、「セタガヤの奴ら」も、地域という＜場＞によって纏められた社会集団理解に基づく言説であったということができる。

一般に使われるウチの対義語としては、おそらくソト（外）の語が挙がることが多いと思われるが、ソトではなくてヨソの日本語を立てた点は、中根の分析視座の面白さであろう。「ウチの大学」と言った時のウチは、「鬼は外、福は内」のような空間における内外の対比とは異なった、別次元のウチの意味があることを想起させてくれる。「ウチの大学」に対して、「ソトの大学」といった表現はなされないのであるから。

ちなみに「うち」を『広辞苑』第七版で引くと、三種の意味が挙がる。

①（「中」とも書く）何かを中核・規準とする、一定の限界の中。

②自分の属する側（のもの）。

③ものごとのあらわでないない面。

これより、「ウチの大学」という時の「うち」は、②に関連するが、これはさらに以下のように説明される。

①なか。また、国内。

②身のまわり。側近。

③（「家」とも書く）自分の家、また、家庭。

④（「家」とも書く）転じて、家。家屋。

⑤自分の夫、または妻。うちの人。うちの者。

⑥自分の属するもの。

⑦仏教で、儒教などを外とするのに対し、仏教の側のこと。

この説明からは、中根が分析概念として取り上げるウチは、⑥の他、③⑤とも関連していることが知られよう。さらに、『広辞苑』で「よそ」に関する解説を見ると、以下のようにある。

①ほかの所。別の所。他所。

②直接関係のない物事や人または場所。他事。局外。また、かかわりのないこと。疎遠なこと。

この②の例文として、『広辞苑』では「よその会社の人」が上げられていることから、ここでわれわれが考えている、ウチの対義語としてのヨソは②の意味と言うことがわかる。ウチとヨソとを分ける決定的な判断基準は、まさに当事者にとっての関係性の有無に置かれているのである。そうした＜ウチ／ヨソ関係＞が次第に強く作用することによってもたらされる変化を、中根は以下のように述べ、「ウチの者」にとって「ヨソ者」は、最終的に排除の対象となる可能性を胎んでいることを明らかにする。

> 「ウチ」「ヨソ」の意識が強く、この感覚が尖鋭化してくると、まるで「ウチ」の者以外は人間ではなくなってしまうと思われるほどの極端な人間関係のコントラストが、同じ社会に見られるようになる。知らない人だったら、突き飛ばして席を獲得したその同じ人が、親しい知人（特に職場で自分より上の）に対しては、自分がどんなに疲れていても席を譲ると言った滑稽な姿がみられるのである。(p.49)

「ウチの者」と言うのは、＜ we-feeling（われわれ意識）＞を共有する親しみのある仲間、と言い換えることが可能であろう。あるいは、＜帰属意識＞を共有する者と言っても良いかも知れない。そうした意識が強調されることで、対内的には＜資格＞が異なるメンバー間に同一集団成員としての一体感が醸し出されることとなるが、それは同時に、対外的にはウチとは異なる「ヨソ者」グループの存在を意識し、そこへと向けた対抗意識を増大させることとなる。日本人は「ウチの者」だけの仲間グループでいると、グループ外の「ヨソ者」に対して“冷たい態度”をとる。もしもその相手が自分たちより劣る存在と判断したなら、「ウチの者」はさらに優越感に似た感情のもとに、「ヨソ者」に対して“非礼の態度”であたることになる。かかる態度が慣習として極端化した例として、中根は差別問題に見られる被差別者に対する軽蔑・疎外の態度を挙げ、「ヨソ者」に対しては“敵意に似た冷たさ”さえもつことを指摘する。日本社会では集団の枠は＜場＞が優先されてできているので、「ウチの者」「ヨソ者」の意識が強まる結果、人は「ヨソ者」に対して非社交的になるのである。こうして中根は、日本人の人間関係の在り方を、ウチの世界しか知らない、他の世界に疎い存在であるとまとめ、「国際性のないことはおびただしい」と辛口の批判を加えることとなる。＜ウチ／ヨソ関係＞を掲げることで、中根は日本において異文化理解が疎外される要因にメスを入れたのである。

3．

ここで中根の掲げた分析概念である＜ウチ／ヨソ関係＞を振り返ってみると、「ウチの大学」「ウチの町」「ウチの寺」……と、「ウチの」の修飾語に続く＜場＞こそが、個人が集団を構成していく際の枠となっていることが明らかになろう。そうした＜場＞は確かに、同一次元に大学・会社・町・寺など、個人が定位される所属機関が水平軸に並んで広がっているように見えよう。しかしそれらの＜場＞は同時に、それぞれ集団を構成する＜場＞の中において、更なる下位の＜場＞へと垂直方向に拡張する可能性をもっていることにも留意すべきであろう。

例えば、初めて出会った大学生達が交歓する最初期の場面を想定すれば、わかりやすい。さまざまな大学から参加があった場合、学生たちは「ウチの大学」を共通項とする同窓生としての緩やかな一体感をもって「ヨソの大学」の学生に対峙するであろう。しかしそこに「ウチの大学」の学生しかいなかったなら、彼らは「ウチの大学」の下部単位にある学部を意識し、それぞれの学生にとっての「ウチの学部」に基づいて「ヨソの学部」の学生と対峙するであろう。またさらに、それが「ウチの学部」の学生のみの会話場面となるなら、さらに学部の下部単位である研究室を意識して「ウチの研究室」と「ヨソの研究室」といった集団に基づく＜ウチ／ヨソ関係＞の中に自己を位置づけることとなるであろう。以上、＜場＞を大学という所属機関を事例に考えてみたのであるが、大学の＜場＞を構成する枠は、ウチの位置をどこに取るのかによって細分化されて、さらに垂直方向に“入れ子細工”的に連なる可能性が明らかになった。かかる“入れ子細工”的＜ウチ／ヨソ関係＞は、「部－課－係」といったヒエラルキーで構成される会社や役所などにおいても、また「県－市・郡―町」といった区分でなされる＜場＞を構成する枠としての地域においても、同様に確認することができるものと思われる。

また他方で、私にとっての「ヨソ者」も、彼は彼なりの「ウチの者」のグループに属しており，また同時に彼なりの「ヨソ者」に対峙していることが想定される。そうしたウチ／ヨソ双方向からのレッテル張りによって生まれてくる＜ウチ／ヨソ関係＞の構造は、「ヨソ者」をどこにとるかに応じて、定位されるウチの＜場＞の位相が異なって構築され、多様な社会関係の重なりを現出することとなる。これを言い換えるなら、「ヨソ者」グループへの対抗意識が生じることと、「ウチの者」の間で we-feeling が醸し出されることは、相互作用として成立していると言うこともできよう。

以上のようにわれわれ人間の社会関係においては、水平方向のみならず垂直方向にも＜ウチ／ヨソ関係＞の枠が広がっていく可能性がある。

こうした時、ウチとヨソの弁別はいかなる経緯で成立するのであろうか。前述のように、ウチとヨソとを分ける決定的な判断基準は、まずは自己を起点に誰が「ヨソ者」であるかを想定することから始まるのであろう。ヨソを漢字で「余所」「他所」と書くことが示すように、ヨソ成立の前提にはまずはウチが定位されており、ウチで“余る所”、ウチとは“他の所”がヨソとなるからである。人は自己をアイデンティファイするに際し、場面に応じてウチの枠組を取捨選択し、それに応じて自分とは異なる要素をもったヨソを意識し、逆照射する形でウチの立ち位置を表明していると言うことであろう。

こうして見てくると、人間は、ウチと呼ばれる自己の価値観で囲まれた親密な領域を中心に、ウチとは別の価値観をもったヨソの領域との間の多様な関係性の中で生きていることになる。文化を way of life（生活様式）と理解するなら人間は、ウチと呼ばれる生活様式＜自文化＞と、それとは別のヨソと呼ばれる生活様式＜異文化＞との間の鬩ぎ合いの中で生きていると言い換えることができよう。かかる関係性を続ける中、人間社会の間には、「ヨソ者」の異文化に対して敵意をもった対応をする可能性が出てくることは、中根の指摘にあった通りである。自己と一体化した主体としてのウチという認識は、「ヨソ者」がいなくても「ウチの者」だけで何でもできるという、きわめて自己中心的な・自己完結的な意識を内包しているからである。ウチではないものとして措定される多様なヨソに対してなされる差別の前提には、自己以外の人間存在を正統に評価しようという理解は見られず、人間社会の展開を阻害する大問題である。ここからは、ウチに対する意識が尖鋭化して「我執」が強くなることで、ヨソに対する無理解・差別・排除と言った大きな断絶の構図が生み出されることが指摘できる。ウチに対する意識の偏重は、逆にヨソに対する負の意識の偏重を生むことに通じることから、それが異文化理解の阻害要因となるものといえよう。

4.

本書で考えてきた異文化理解を推進するにあたっては、ウチの価値観とは異なるヨソの価値観をもった文化を、フィルターを通さず、いかに正統に理解するかがポイントとなる。そうした文化を考える際、宗教を例にとると、話は分かりやすい。宗教は強固な価値観をもつ文化領域として知られており、一般には異宗派異宗教の教え（＝価値観）に対し、正当な理解をすることはなかなか難しいと言われている。極論を言えば、異宗派異宗教の教えを完全に理解するためには、それまでの自分の宗派宗教を捨てて新たに異宗派異宗教の信者になるしか方法がないからである。とはいえ近年の宗教教団の間では、互いに「宗教間対話」や「宗教間協力」などを行う協働作業の機会がしばしば見られるようになってきた。その背景にはおそらく、「寛容」の語がキーワードとして底流しているものと思われる。

寛容（tolerance）とは、自身のものとは異なる価値観に対して理解を示して許容する態度のことである。この語は、キリスト教がそれまでのカトリックからルター派・カルヴァン派・英国教会が分裂したいわゆる「宗教改革」の際、混乱の中で行われた相互の迫害の歴史の中にあって、キリスト教徒が採るべき道として示された。字義的には、寛容は「広く容れる」の意味があり、英語の tolerance の語源にはラテン語の tolero（重さに耐える）があり、endurance（忍耐）を意味している。こうしてみると異文化理解の推進には、ウチ意識の尖鋭化を抑えるため、仏教におきその克服を目指してきた「我執」を捨てることが求められる一方で、ヨソ意識に対しては「異なる価値観を広く受け容れること」が重要になるのであろう。

とはいえ、ここでさらに考えなければならないことは、「寛容」の語が含意する微妙なニュアンスである。『広辞苑』第七版では、「寛容」を以下のように説明する。

①寛大で、よく人をゆるし受けいれること。咎めだてしないこと。

②他人の罪過を厳しく責めずにゆるすというキリスト教の重要な徳。

③異端的な少数意見発表の自由を認め、そうした意見の人を差別待遇しないこと。

ここに出てくる文言をからは、「寛容」の主体者というのが、ヨソ者に対して「咎めだてせず」「罪過を責めず」、「異端的少数意見の発表を認め」「ゆるし」「受けいれ」「差別待遇しない」、一見「人格者」のような存在であることが浮上してこよう。とはいえそうした「寛容」の立場に立つ人は、あくまで自己の価値観を大前提とした上で、ヨソ者のもつ異なった価値観を、我慢し、大目に見て、容認しているということになる。今風の語法から言うなら、「上から目線」で許容している、多少とも胡散臭さが鼻につく態度も否定できないのである。

ならば、本書で問題としてきた「多様性と異文化理解」を考える際の態度は、どうあったら良いのであろうか。おそらくそれは、「寛容」の態度の中に含まれている微妙な「我執」を、少しでも希薄化させることを意識することで実現することが可能となろう。つまり、＜ウチ／ヨソ関係＞の中から多様な価値観が存在することを認め、その中のどれが上か下かと言った価値判断を下すのではなく、そうした違いをありのままに素直に認めてその存在に敬意を払うという態度であろう。その実現のためには、異文化と接触するに際し、ウチとは別のヨソの文化をフィルターを通さずに「尊重」する態度がその要となる。「寛容」に対するマイナーチェンジの視点導入は、今後も引き続き課題となろう。

## 執筆者略歴

滝澤　博胤（たきざわ　ひろつぐ）

1962年新潟県生まれ。1990年東北大学大学院工学研究科応用化学専攻博士後期課程修了（工学博士）。専門は無機材料科学、固体化学。1990年東北大学工学部助手、テキサス大学オースティン校客員研究員、東北大学工学部助教授を経て、2004年東北大学大学院工学研究科教授。2015年工学研究科長・工学部長、2018年より東北大学理事・副学長（教育・学生支援担当）、高度教養教育・学生支援機構長、教養教育院長。主な著作に『マイクロ波化学：反応、プロセスと工学応用』（共著、三共出版、2013年）、『演習無機化学』（共著、東京化学同人、2005年）、『固体材料の科学』（共訳、東京化学同人、2015年）。

河田　雅圭（かわた　まさかど）

1958年香川県生まれ。1987年北海道大学大学院農学研究科博士課程修了。専門は進化学、生態学。1988年静岡大学教育学部助手、1997年東北大学大学院理学研究科助教授を経て2001年より東北大学大学院生命科学研究科教授。主な著作に、『はじめての進化論』（講談社現代新書、1990年）、『進化論の見方』（紀伊國屋書店、1989年）『生物多様性は復興にどんな役割を果たしたか』（共著、昭和堂、2018年）など。2017年日本進化学会賞、2020年日本生態学会賞受賞。

佐藤　嘉倫（さとう　よしみち）

1957年東京都生まれ。1987年東京大学大学院単位取得退学。1997年東北大学より博士（文学）を授与。専門は行動科学・社会学。1987年横浜市立大学商学部専任講師、1988年助教授、1992年東北大学文学部助教授、1992年シカゴ大学社会学部客員研究員、2000年コーネル大学社会学部客員研究員。現在、東北大学大学院文学研究科教授、京都先端科学大学人文学部教授。主な著書は『AIは社会をどう変えるか』（共編、東京大学出版会、近刊）、『ソーシャル・キャピタルと社会－社会学における研究のフロンティア－』（ミネルヴァ書房、2018年）、『社会理論の再興－社会システム論と再帰的自己組織性を超えて』（共編、ミネルヴァ書房、2016年）、『ソーシャル・キャピタルと格差社会－幸福の計量社会学－』（共編、東京大学出版会、2014年）。

座小田　豊（ざこた　ゆたか）

1949年福岡県生まれ。1978年東北大学大学院文学研究科博士課程単位取得退学。専門は哲学、西洋近代哲学。弘前大学教養部助教授、東北大学大学院国際文化研究科助教授、東北大学文学部助教授を経て同大学院文学研究科教授を2015年定年退職。同年4月より2020年3月まで東北大学総長特命教授。現在は東北大学名誉教授。共編著として『ヘーゲル 知の教科書』（講談社メチェ2004年）、『今を生きる 東日本大震災から明日へI人間として』（東北大学出版会、2012年）、『ヘーゲル『精神現象学入門』』（講談社学術文庫、2012年）、『防災と復興の知3･11以後を生きる』（大学出版部協会、2014年）、『生の倫理と世界の論理』（東北大学出版会、2015年）など。共訳書としてH･ブルーメンベルク『コペルニクス的宇宙の生成』全3巻（法政大学出版局、2002、2008、2011年）、『ヘーゲルハンドブック』（知泉書院、2016年）ほか多数。

花輪　公雄（はなわ　きみお）

1952年山形県生まれ。1981年3月、東北大学大学院理学研究科地球物理学専攻博士課程後期3年の課程を単位取得退学。理学博士（1987年）。専門は海洋物理学。1981年4月、東北大学理学部助手。その後講師、助教授を経て、1994年4月、東北大学理学部教授。2008年度から2010年度まで理学研究科長・理学部長、2012年度から2017年度まで理事（教育・学生支援・教育国際交流担当）、教養教育院院長。2018年3月、定年退職。現在、東北大学名誉教授。主な著書に『海洋の物理学』（共立出版、2017年）、『若き研究者の皆さんへ－青葉の杜からのメッセージ－』正・続（東北大学出版会、2015・2016年）、『東北大生の皆さんへ－教育と学生支援の新展開を目指して－』正･続（東北大学出版会、2019・2019年）など。

山谷　知行（やまや　ともゆき）

1950年青森県生まれ。1977年東北大学大学院農学研究科博士課程修了。専門は、植物分子生理学･農芸化学。1977年日本学術振興会奨励研究員、1978年カナダ国マクマスター大学博士研究員、1979年米国ミシガン州立大学博士研究員、1980年岡山大学農業生物研究所助手、1988年東北大学農学部助教授、1992年同農学部教授、2010年同大学院農学研究科長・農学部長、2013年同総長補佐、同国際高等研究教育院長（併任）、2015年退職、東北大学特任教授、2017年同総長特命教授、2019年同退職。現在、東北大学学際高等研究教育院シニアメンター。主な著書は『朝倉植物生理学講座② 代謝』（朝倉書店、2001

年）他、査読有り原著論文は約 150 報。主な受賞は、平成 27 年日本農学賞・読売農学賞、平成 29 年紫綬褒章。

志柿　光浩（しがき　みつひろ）

1956 年熊本県生まれ。1989 年筑波大学大学院歴史人類学研究科博士課程退学。専門はスペイン語教育、プエルトリコ研究。1985 年プエルトリコ大学講師、1989 年長崎大学講師、1993 年常葉学園大学助教授、1995 年東北大学助教授、2001 年同教授。現在東北大学大学院国際文化研究科教授、東北大学・教養教育院教養教育特任教員。主な著作に『新版世界各国史 25　ラテンアメリカ史 I』（共著、増田義郎・山田睦男編、山川出版社、1999 年）、『ラテンアメリカ世界を生きる』（共編著、遅野井茂雄・志柿光浩・田島久歳・田中高編、新評論、2001 年）、『ラテンアメリカ現代史 III』（共著、二村久則・野田隆・志柿光浩・牛田千鶴著、山川出版社、2006 年）など。

鈴木　岩弓（すずき　いわゆみ）

1951 年東京都生まれ。1982 年東北大学大学院文学研究科博士後期課程満期退学。同年島根大学教育学部助手。同講師、助教授を経て 1993 年東北大学文学部助教授に転任、同教授、同大学院文学研究科教授を経て 2017 年定年退職。同年より東北大学名誉教授、同総長特命教授となり現在に至る。専門は宗教民俗学、死生学。主な著作に『変容する死の文化－現代東アジアの葬送と墓制－』（編著、東京大学出版会、2014 年）、『柳田國男と東北大学』（編著、東北大学出版会、2018 年）、『現代日本の葬送と墓制　イエ亡き時代の死者のゆくえ』（編著、吉川弘文館、2018 年）など。

米倉　等　（よねくら　ひとし）

1951 年千葉県生まれ。1975 年東京大学農学部卒業、博士（農学）。専門は農業経済学、開発経済学、地域研究（東南アジア）。1975 年アジア経済研究所入所、1999 年東北大学大学院農学研究科教授就任、2016 年東北大学教養教育院総長特命教授に就任し現在に至る。この間、国際協力事業団・長期派遣専門家、国連 ESCAP・リージョナルアドバイザー、国際農林水産業研究センター監事（非常勤）、サセックス大学グローバルスタディーズ学部・客員教授等を歴任。主な著作として Yonekura, H. “Implication of the Mutual Relief Insurance Scheme in Japan as for the Development of Agricultural Insurance in Monsson Asian Counties.” Journal of Farm Management Economics, No.50, 2019. ほか

＊本書は、東北大学高度教養教育・学生支援機構の2020年度「研究成果出版経費」の助成を受けて出版されたものである。記して関係各位への感謝の意を表します。

装幀：大串幸子

東北大学教養教育院叢書「大学と教養」

第4巻　多様性と異文化理解

Artes Liberales et Universitas
4 Diversity and cross-culture understanding



2021年3月31日　初版第1刷発行

編　者　東北大学教養教育院
発行者　関内 隆
発行所　東北大学出版会
〒980-8577　仙台市青葉区片平2-1-1
Tel. 022-214-2777　Fax. 022-214-2778
https://www.tups.jp　E.mail info@tups.jp
印　刷　カガワ印刷株式会社
〒980-0821　仙台市青葉区春日町1-11
Tel. 022-262-5551

ISBN978-4-86163-358-4　C0000
定価はカバーに表示してあります。
乱丁、落丁はおとりかえします。